聴解

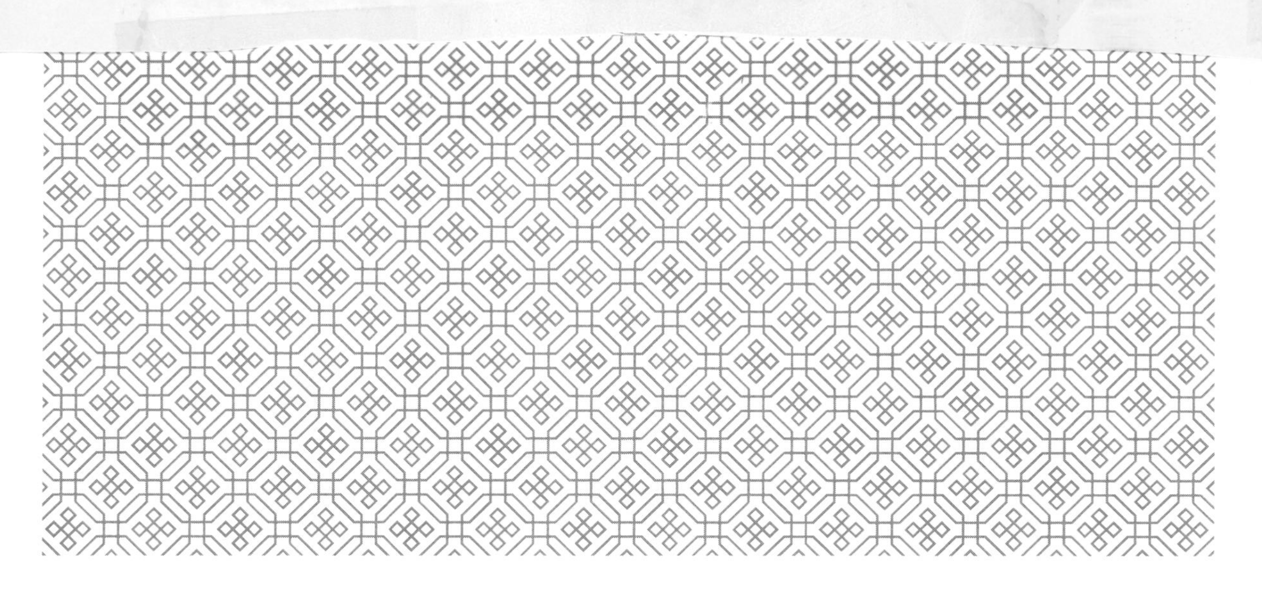

中村かおり・福島佐知・友松悦子 著

スリーエーネットワーク

Published by 3A Corporation.
Trusty Kojimachi Bldg., 2F, 4, Kojimachi 3-Chome, Chiyoda-ku, Tokyo 102-0083, Japan

ISBN978-4-88319-567-1 C0081

First published 2011
Printed in Japan

はじめに

日本語能力試験は、1984年に始まった、日本語を母語としない人の日本語能力を測定し認定する試験です。受験者が年々増加し、現在では世界でも大規模の外国語の試験の一つとなっています。試験開始から20年以上経過する間に、学習者が多様化し、日本語学習の目的も変化してきました。そのため、2010年に新しい「日本語能力試験」として内容が大きく変わりました。新しい試験では知識だけでなく、実際に運用できる日本語能力が問われます。

本書はこの試験のＮ２レベルの問題集として作成されたものです。

まず「問題紹介」で、問題の形式とその解法を概観します。次に「実力養成編」で、問題形式別に、必要なスキルを身につけるための学習をします。最後に「模擬試験」で、実際の試験と同じ形式の問題を解いてみることによって、どのくらい力がついたかを確認します。

■本書の特徴

①問題形式に合わせて、それぞれに必要なスキルを学ぶ。

②各スキルを段階を踏んで学習することにより、無理なく聴解の力を養成する。

③豊富な練習で、問題形式に慣れる。

私たちはこれまで聴解の学習方法がわからないという学習者に大勢出会い、どうすれば聴解の力がつけられるかを考え続けてきました。そこで、「どのように聞くか」というスキルを、日本語能力試験の形式別に一つずつ身につけられるようにまとめたのが本書です。本書が日本語能力試験の受験に役立つと同時に、日本語を使って学習・生活・仕事をする際にも役立つことを願っています。

本書を作成するにあたり、第一出版部の服部智里さん、佐野智子さん、新谷遥さんには全体の構成から細かい表現まで丁寧に辛抱強く見ていただき、貴重なご助言をたくさんいただきました。心よりお礼申し上げます。

2011年3月　著者

目（もく）　次（じ）

本書をお使いになる方へ

■本書の目的

本書は以下の２点を大きな目的としています。

①日本語能力試験Ｎ２対策：Ｎ２の試験に合格できる力をつける。

②「聴解」能力の向上：試験対策にとどまらない全般的な「聴解」の力をつける。

■日本語能力試験Ｎ２聴解問題とは

日本語能力試験Ｎ２は、「言語知識・読解」（試験時間 105 分）と「聴解」（試験時間 50 分）の二つに分かれています。

聴解問題はさらに以下の五つの部分に分かれます。

1　課題理解

2　ポイント理解

3　概要理解

4　即時応答

5　統合理解

■本書の構成

本書は、以下のような構成になっています。

問題紹介

実力養成編　Ⅰ　音声の特徴に慣れる

Ⅱ　「即時応答」のスキルを学ぶ

Ⅲ　「課題理解」のスキルを学ぶ

Ⅳ　「ポイント理解」のスキルを学ぶ

Ⅴ　「概要理解」のスキルを学ぶ

Ⅵ　「統合理解」のスキルを学ぶ

模擬試験

以下に詳細を説明します。

問題紹介　試験の概要と形式別の簡単な解法を知り、全体像をつかんでから学習を始めます。

実力養成編　Ⅰ　音声の特徴に慣れる

音声テキストの特徴を理解して聞く練習をします。

Ⅱ 「即時応答」のスキルを学ぶ

質問、依頼など短い文を聞いて、それに合う答え方が即時に判断できるようになることを目指します。会話に使われる表現や音声的情報を意識しながら、最初の文と返事の文の意味を正確につかみ、適切な受け答えを選ぶ練習をします。

Ⅲ 「課題理解」のスキルを学ぶ

話の中から指示や依頼、助言などを聞き取り、これから何をすべきかが判断できるようになることを目指します。そのために、するべきことを理解する練習、優先される課題を理解する練習、条件を整理しながら聞く練習をします。

Ⅳ 「ポイント理解」のスキルを学ぶ

話の中から質問されたことにポイントを絞って聞き取れるようになることを目指します。必要な情報かどうかを判断する練習、選択肢に見られる言い換えを意識して聞き取る練習、多くの情報の中から必要な情報だけを拾う練習をします。

Ⅴ 「概要理解」のスキルを学ぶ

話全体の主題、話し手の意図、主張などが判断できるようになることを目指します。具体例かまとめる概念かを判別する練習、キーワードを関連づけて話の構造をつかむ練習、文を関連づけて話の主題をまとめる練習、意見・主張を聞き取る練習、話の意図を把握する練習をします。

Ⅵ 「統合理解」のスキルを学ぶ

これまでのスキルを複合的に使って、より多くの情報を整理・統合しながら話の内容が理解できるようになることを目指します。２人以上の人の話を整理する練習、２種類の話を整理する練習をします。

模擬試験　実際の試験と同じ形式の問題です。実力養成編で学習した内容がどのぐらい身についたかを確認することができます。

■表記

基本的に常用漢字(1981年10月内閣告示)にあるものは漢字表記にしました。ただし、著者の判断でひらがな表記の方がよいと思われるものは例外としてひらがな表記にしてあります。本冊、別冊ともに漢字にはすべてふりがなをつけました。

■学習時間

50分授業でだいたい二つのスキルを学習できるように作成しました。(スキルが１－A、１－Bのように分かれている場合は、この下位のスキルを三つ～四つ。)ただし、丁寧にゆっくり進むかスピードアップするかによって時間数を加減することはできるでしょう。

【学習の進め方の例】

①解説を読む：学習するスキルを確認する。注意する表現がある場合は意味を確認する。

②例題、練習問題を行う：スキルを意識しながら行う。必要な場合は２～３回聞く。

③答えとスクリプトを確認する：内容を確認し、必要があればもう一度聞く。

■ＣＤについて

収録時間の都合上、印刷された選択肢を読む時間や答えを考えるのに必要な時間のポーズが、実際の試験よりも短くなっています。必要に応じて、ＣＤを一時停止するなどして、ご利用ください。

問題紹介

日本語能力試験の「聴解」では

1　課題理解

2　ポイント理解

3　概要理解

4　即時応答

5　統合理解

の五つの形式の問題が出題されます。それぞれの問題形式の特徴を見ていきましょう。

1 課題理解

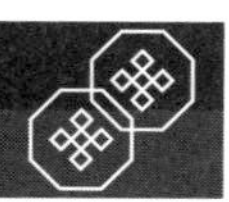

「課題理解」は、まとまりのある話から、指示や依頼、助言などを聞き取り、これから何をすべきかを判断する問題です。選択肢は問題用紙に書かれていて、イラストがあるものと、文字だけのものがあります。実際の試験では、問題の前に練習があります。例題をやってみましょう。

☆ 例題1 A01

この問題では、まず質問を聞いてください。それから話を聞いて、問題用紙の1から4の中から、最もよいものを一つ選んでください。

ア　案内表示

イ　マイク

ウ　机

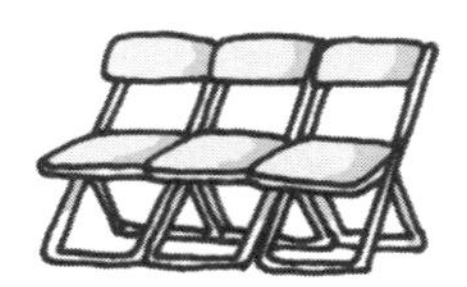

エ　いす

オ　ごみ箱

1　ア　イ　ウ

2　ア　ウ　オ

3　ウ　オ

4　ア　ウ

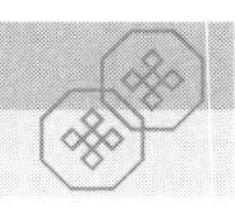

◆スクリプト

市民会館で男の人と女の人が文化祭の準備について話しています。２人はこれから何を準備しますか。

男：あしたの文化祭の準備、もう済みましたか。

女：もう少しです。あと、案内表示を出さなきゃいけないんですけど。

男：各部屋のマイクなんかの用意はできてるんですか。

女：大丈夫です。あ、ただ、受付の机がまだ……。

男：じゃ、それ、手伝いましょう。

女：すみません、助かります。

男：いすはもう並べてあるんですか。

女：はい。さっき、ごみ箱を並べたときに、一緒にやっときました。

男：そうですか。じゃ、さっそく残りをやっちゃいましょうか。

女：はい。

２人はこれから何を準備しますか。

答え 4

案内表示は「出さなきゃいけない」、机は「まだ」と言っているので、この２つがこれから準備するものです。

一方、マイクについては「大丈夫」、ごみ箱は「さっき、ごみ箱を並べた」と言っています。また、いすは「ごみ箱を並べたときに、一緒にやっときました」と言っているので、これらは準備する必要がありません。

「課題理解」の問題を解くためには、話の中から指示や助言の部分を聞き取って、「するべきこと」を理解する必要があります。また、質問で「これからまず何をしなければなりませんか」のように、最初にすることを聞いている場合は、いくつかのすることの中でもどれが優先されるのかを判断しなければなりません。

この部分については「Ⅲ　「課題理解」のスキルを学ぶ」で練習します。

2 ポイント理解

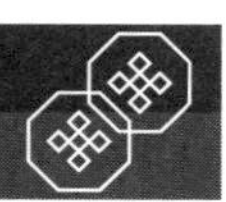

「ポイント理解」は、まとまりのある話から、質問されたことにポイントを絞って聞き取る問題です。出来事の理由や目的、話し手の気持ちなどが理解できるかが問われます。実際の試験では、問題の前に練習があります。例題をやってみましょう。

☆ 例題2 A02

この問題では、まず質問を聞いてください。そのあと、問題用紙の選択肢を読んでください。読む時間があります。それから話を聞いて、問題用紙の1から4の中から、最もよいものを一つ選んでください。

1 家の用事で忙しいから
2 子供の具合が悪いから
3 体調が悪いから
4 健康診断を受けるから

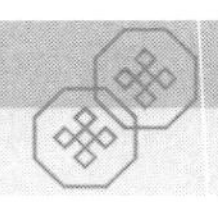

◆スクリプト

男の人と女の人が電話で話しています。女の人はどうして送別会に行けないと言っていますか。

男：もしもし、松本さん？　渡辺です。メール見てくれましたか。土曜日の古川さんの送別会のこと。

女：え？　ごめん、このところ子供のことですっごく忙しくてメール見られなかったのよ。土曜日ってあさっての？　ずいぶん急な日になったのね。

男：ええ。月曜日にはもうマレーシアに発つんだそうですよ。お子さん、ご病気か何かですか。

女：ええ、でも、それはもう治ったからいいんですけどね。実は、その日わたしの方が病院に行かなきゃいけなくて……。

男：えー！　どこか悪いんですか。

女：いえ、悪いところがないか、人間ドックでまとめて健康診断をしてもらおうと思ってね。その日やっと予約が取れたもんだから……。

男：そうなんですか。でも、まあ、健康が何より大切ですから……。

女：ごめんなさい。行きたいんだけど。彼女にはわたしからおわびのメールしとくわ。

女の人はどうして送別会に行けないと言っていますか。

答え 4

女の人は、「実は」に続けて、「病院に行かなきゃいけなくて」「健康診断をしてもらおうと思って」と言っているので、4が行けない理由です。1については、「子供のことですっごく忙しくて」とは言っていますが、送別会の日のことではありません。また、子供の病気は「もう治ったからいい」と言っているので2ではありません。3は、「悪いところがないか」「健康診断をしてもらおうと思って」と言っているので違います。

「ポイント理解」の問題を解くためには、聞き取るポイントに関係のある情報を選びながら聞くことが必要です。話の中では選択肢とは別の言い方が使われていることが多いので注意します。

この部分については「IV　「ポイント理解」のスキルを学ぶ」で練習します。

3 概要理解

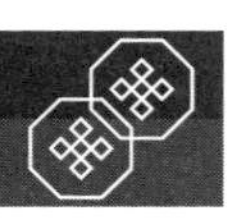

「概要理解」は、まとまりのある話を聞いて、その話全体の主題、話し手の意図、主張などを判断する問題です。実際の試験では、問題の前に練習があります。例題をやってみましょう。

☆ 例題3 A03

この問題は、全体としてどんな内容かを聞く問題です。話の前に質問はありません。まず話を聞いてください。それから、質問と選択肢を聞いて、1から4の中から、最もよいものを一つ選んでください。

1	2	3	4

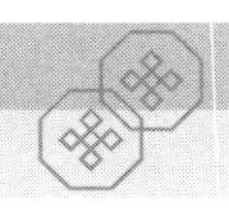

◆スクリプト

テレビで男の人が話しています。

男：一般的な本棚は棚の位置が動かせない固定式で、棚の奥までがかなりあります。それで、つい本が並べてある手前にもまた本を並べてしまって、必要なときに奥の本が取り出せないということがありました。しかし、今日ご紹介するこちらのスライド式は、奥にある本を簡単に取り出すことができます。棚が手前と奥とに２つあって、手前の方の棚を横にスライドさせれば、奥の棚が見えるようになっています。よく使う本は手前、大切なファイルなどは奥にしまうといった使い方もできますし、とにかく空間を有効に使えます。値段は固定式のものに比べて少々高いですが、この使いやすさが特徴です。

男の人は、何について話していますか。

1　固定式本棚の長所
2　固定式本棚の短所
3　スライド式本棚の長所
4　スライド式本棚の短所

答え 3

話全体から話の主題を理解する問題です。「こちらのスライド式」の「本棚」について、「簡単に取り出すことができます」「空間を有効に使えます」「使いやすさが特徴」と、主によい点を説明しています。これらをまとめたのが3です。

このように、多くの場合、話全体の主題や話し手の主張は一言で表されていないので、いくつかのキーワードや大切な内容を聞き取り、それらを整理してまとめる必要があります。

この部分については「V　「概要理解」のスキルを学ぶ」で練習します。

4 即時応答

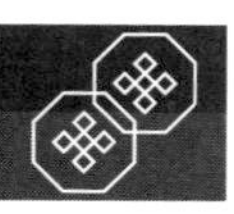

「即時応答」は、質問、報告、依頼などの短い文を聞いた後、すぐにそれに合う答え方を判断する問題です。実際の試験では、問題の前に練習があります。例題をやってみましょう。

☆ 例題4 A04

まず文を聞いてください。それから、それに対する返事を聞いて、1から3の中から、最もよいものを一つ選んでください。

(1) | 1 | 2 | 3 |

(2) | 1 | 2 | 3 |

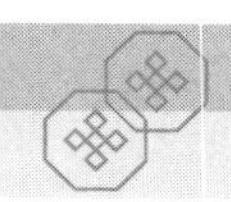

◆スクリプト

(1) 女：あれ？　田中くん、今日は残って仕事片づけちゃうって言ってたじゃない。

男：1　うん、今日は言ってなかったね。

2　ああ、仕事がたくさん残ってるんだ。

3　でも、風邪気味だから、もう帰るよ。

(2) 男：今日は話を聞いていただけて、よかったです。

女：1　いえ、つまらない話ばかりですみません。

2　また何かあったら相談に乗りますよ。

3　時間がとれなくて、申し訳ありません。

答え　(1)3　(2)2

(1)は、「〜じゃない」が確認の意味であることに気をつけます。相手に確認をしていることから、相手の行動が、話し手が考えていたことと違うと推測できます。この場合、相手（田中くん）が残るのではなく帰ろうとしていると考えられるので、3が答えです。「あれ？」と言っていることからも、今の状況を不思議に思っていることがわかります。

(2)は、自分の話を相手が聞いてくれたことに感謝する言い方です。それに対する返答ですから、「またいつでも聞きますよ」という意味の2が答えです。

聞く文は短いので、まず最初の文を聞いたとき、だれが何をするのかをすぐに理解しなければなりません。同時に、返事の文についても聞いてすぐに理解する必要があります。また、音の変化や、イントネーション、音の高低などは意味に影響を与えるので、特に注意が必要です。

この部分については「II　「即時応答」のスキルを学ぶ」で練習します。

5 統合理解

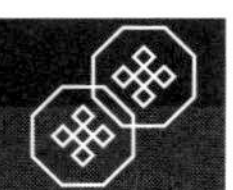

「統合理解」は、いくつかの情報を整理・統合しながら内容を理解する問題です。主に

・２人以上の話し手の意見を整理しながら聞き取るタイプ

・ある話を聞いた後で、それについての意見や評価などを聞いて、判断するタイプ

があります。また、この問題だけ、実際の試験のときに練習がありません。例題をやってみましょう。

☆ 例題５ A05

まず話を聞いてください。それから、質問と選択肢を聞いて、１から４の中から、最もよいものを一つ選んでください。

1	2	3	4

☆ 例題６ A06

まず話を聞いてください。それから、二つの質問を聞いて、それぞれ問題用紙の１から４の中から、最もよいものを一つ選んでください。

質問１
1 １番
2 ２番
3 ３番
4 ４番

質問２
1 １番
2 ２番
3 ３番
4 ４番

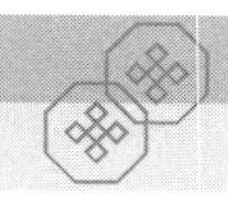

◆例題５のスクリプト

家族３人が休日の過ごし方について話しています。

女　：お父さん、またテレビの前でごろごろ？　外に出て体を動かしたほうがいいんじゃないの？　ちょっと太ってきたみたいだし。プールにでも行ってくれば？

男１：たしかに少し運動不足だよな。水泳ねえ。太っちゃったから水着が入らないかもな。

男２：ねえ、公園でサッカーしようよ。

男１：サッカーは久しぶりだな。でも最近、運動してないから、体が動くかな。健康のためなら、本当はジョギングなんかの方が続けやすいんだけど。たかし、一緒に走るか。

男２：えー、ただ走るだけなんてつまんないよ。

女　：だけど、サッカーやってけがなんかしたら、仕事に差し支えるんじゃない？

男１：プロじゃないんだから、けがするほどやんないよ。

男２：キャッチボールでもいいよ。

男１：それじゃ、あんまり運動にならないなあ。うーん、最近たかしともゆっくり遊んでないし……。よし。じゃ、行こうか。

お父さんは今日、何をすることにしましたか。

1　プールで泳ぐ
2　サッカーをする
3　ジョギングをする
4　キャッチボールをする

答え　2

水泳については「水着が入らないかも」と、積極的に賛成していません。また、ジョギングは「続けやすい」と言って子供を誘ったところ、子供が「つまんない（つまらない）」と反対したので、その後話を続けるのをあきらめています。子供の提案のうちサッカーは「けがするほどやんない（やらない）」と問題ないことを伝え、キャッチボールは「あんまり運動にならない」と反対していることから、サッカーをすることがわかります。

このように例題５のタイプの問題では、２人以上の話し手による話から意見を聞き取ります。「概要理解」の問題と似ていますが、人数が多いので、複雑になります。それぞれの話し手の意見の対立点を早い段階で聞き分け、それを整理しながら聞く練習が必要です。

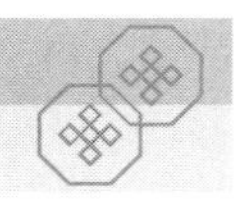

◆例題6のスクリプト

男の人と女の人がバスについての案内を聞いています。

男1：ここから山下駅に行くバスは4系統出ています。一番早く着くのは、1番のバスなんですが、次のバスまではあと20分ぐらいですね。2番のバスは商店街を通ります。マツダデパート前にも止まりますが、これもあと20分ほど待ちますね。3番は安田大学前を通って行くので遠回りになりますが、もうすぐ来るので1番のバスに乗るのと着く時間はほとんど変わらないでしょうね。あと、4番は今そこに止まっていますが、住宅地の中を通るバスで、この時間だと駅まで一番時間がかかるかもしれませんね。

男2：僕、この後用事があるから、できるだけ早く帰りたいんだけど。

女　：そう。わたしはちょっと買い物もしたいし、商店街の方に寄っていこうかな。

男2：そっか。じゃ、悪いけど、違うバスで先に帰るよ。一番早いって言ってたのは、これだっけ。うーん、あと20分か。雨が降ってるし、寒いから、外で待ちたくないな。どうせ着く時間が同じくらいなら、あっちに乗るよ。ね、一緒に乗って、駅で買い物したらどう？

女　：うーん、町の中も見てみたいし、やっぱり商店街に寄ってから帰るわ。

男2：そっか。あ、バスが来た。じゃ、またね。

質問1　女の人はどのバスに乗りますか。

質問2　男の人はどのバスに乗りますか。

答え　質問1　2　　質問2　3

まず、最初の話を聞き取ってから、2人の話を聞き、条件に合うものを選びます。男の人は「早く帰りたい」「外で待ちたくない」「バスが来た」と言っているので、「もうすぐ来る」「1番のバスに乗るのと着く時間はほとんど変わらない」という3番に、女の人は「商店街に寄ってから帰る」と言っているので、「商店街を通」る2番に乗るとわかります。

例題6のタイプの問題では、2種類の話を聞き、その両方の情報を比較したり関連づけたりして答えます。最初の話を聞いて情報を整理し、次の話（会話）で述べられている条件に合うものはどれかを判断します。ですから、必要な情報を聞き取ってメモをとる練習、それをもとに情報を統合しながら聞く練習が必要です。

これらについては「VI　統合問題のスキルを学ぶ」で練習します。

実力養成編

1　似ている音の聞き分け

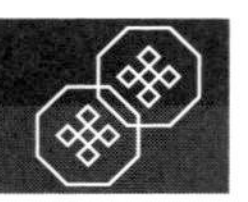

発音が似ている言葉の聞き取りを間違えると、文全体の意味がわからなくなることがあります。「゛」や小さい「っ」「ゃ／ゅ／ょ」で表す音、「ん」や長音（おかあさん／コーヒー）など、間違えやすい音とともに、アクセントやイントネーションなどに気をつけて聞きましょう。

練習1－1

言葉を聞いてください。その後に聞くa～cの言葉の中で、最初の言葉と同じものはどれですか。A07

(例)	a（　　）	b（　　）	c（　○　）
(1)	a（　　）	b（　　）	c（　　）
(2)	a（　　）	b（　　）	c（　　）
(3)	a（　　）	b（　　）	c（　　）
(4)	a（　　）	b（　　）	c（　　）
(5)	a（　　）	b（　　）	c（　　）
(6)	a（　　）	b（　　）	c（　　）
(7)	a（　　）	b（　　）	c（　　）
(8)	a（　　）	b（　　）	c（　　）
(9)	a（　　）	b（　　）	c（　　）
(10)	a（　　）	b（　　）	c（　　）

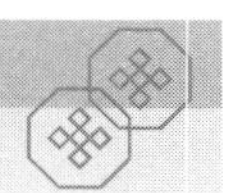

練習１－２

文を聞いてください。どちらですか。A08

(例)　昨日、(a　病院へ　ⓑ　美容院へ　)行きました。

(1)　(a　選手　b　先週　)の話です。

(2)　(a　試験　b　真剣　)なんだから、黙って。

(3)　(a　若いって言った　b　わかっていた　)んですか。

(4)　(a　３人に　b　３位に　)なりました。

(5)　ちょっと(a　出して　b　足して　)ください。

(6)　実はすごく(a　言いたかった　b　痛かった　)んです。

(7)　あれ、(a　今日かな　b　着ようかな　)。

(8)　天気は(a　よくない　b　よくなり　)そうです。

(9)　これ、(a　教授に　b　今日中に　)送りましょう。

(10)　お客さんが(a　急に　b　９人　)来ました。

練習１－３

文を聞いて、それに対する返事の文を聞き、最もよいものを選んでください。

(例)　(　ⓐ　b　c　)

(1)　(　a　b　c　)

(2)　(　a　b　c　)

(3)　(　a　b　c　)

(4)　(　a　b　c　)

(5)　(　a　b　c　)

(6)　(　a　b　c　)

2 音の変化や縮約形

話すときは音が省略されたり、書いたものとは違った音になったりすることがあります。特に親しい人との話し方に多いです。

変化した形・縮約形	元の形
「〜ちゃう」「〜じゃう」 例 食べちゃう／飲んじゃった	「〜てしまう」「〜でしまう」 例 食べてしまう／飲んでしまった
「〜ちゃ」「〜じゃ」 例 書いちゃ／読んじゃ／それじゃ	「〜ては」「〜では」 例 書いては／読んでは／それでは
「〜（なく）ちゃ」「〜（な）きゃ」 例 しなくちゃ／帰らなきゃ	「〜（なく）ては」「〜（な）ければ」 例 しなくては／帰らなければ
「〜てる」「〜でる」 例 待ってる／込んでる	「〜ている」「〜でいる」 例 待っている／込んでいる
「〜てく」「〜でく」 例 連れてく／遊んでく	「〜ていく」「〜でいく」 例 連れていく／遊んでいく
「〜とく」「〜どく」 例 置いとく／飲んどく	「〜ておく」「〜でおく」 例 置いておく／飲んでおく
「ん」 例 なんない／足んない／何やってんの／寝らんない／食べるもん／嫌んなる／いちんち	「ら」「る」「れ」「の」「に」 例 ならない／足らない（足りない）／何やってるの／寝られない／食べるもの／嫌になる／いちにち
＋「っ」 例 とっても／すっごく／ばっかり／高くって	－「っ」 例 とても／すごく／ばかり／高くて
＋「ん」 例 あんまり／おんなじ	－「ん」 例 あまり／おなじ

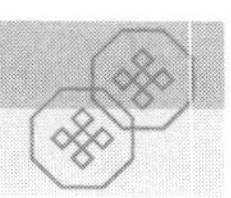

練習(れんしゅう)2－1

文(ぶん)を聞(き)いて、変化(へんか)した形(かたち)ではない、元(もと)の形(かたち)を書(か)いてください。 A10

(例) まだ＿開(あ)いているよ＿。

(1) 大変(たいへん)。この書類(しょるい)＿＿＿＿＿＿＿＿＿＿。

(2) ＿＿＿＿＿＿＿＿＿＿？

(3) さっき、課長(かちょう)に＿＿＿＿＿＿＿＿＿＿。

(4) さっきの話(はなし)、＿＿＿＿＿＿＿＿＿＿。

(5) これ、さっさと＿＿＿＿＿＿＿＿＿＿。

(6) チケット、＿＿＿＿＿＿＿＿＿＿？

(7) これ、＿＿＿＿＿＿＿＿＿＿？

(8) この荷物(にもつ)、ここに＿＿＿＿＿＿＿＿＿＿。

(9) これ、できるだけ早(はや)く＿＿＿＿＿＿＿＿＿＿。

(10) 今(いま)から会社(かいしゃ)に＿＿＿＿＿＿＿＿＿＿。

練習(れんしゅう)2－2

文(ぶん)を聞(き)いて、それに対(たい)する返事(へんじ)の文(ぶん)を聞(き)き、最(もっと)もよいものを選(えら)んでください。 A11

(例) (ⓐ　b　c)

(1) (a　b　c)

(2) (a　b　c)

(3) (a　b　c)

(4) (a　b　c)

(5) (a　b　c)

(6) (a　b　c)

Ⅱ 「即時応答」のスキルを学ぶ

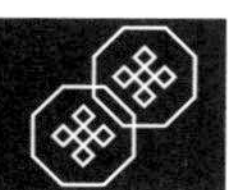

問題形式と内容

質問、報告、依頼などの短い文を聞いた後、すぐにそれに合う答え方を考えます。

短い文を聞く → 3つの選択肢を聞く → 答えを選ぶ

最初に聞く文は次のようなものです。

- 質問する、依頼する、申し出る、許可を求める
- 何かについての意見・感想・主張を述べる、説明する
- 謝る、お礼を言う、褒める、あいさつする

実際に会話に参加しているつもりで、これらの文に対する返事を選びます。

1 最初の文を理解する

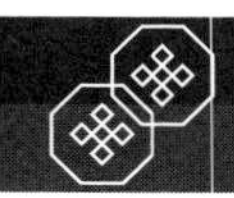

最初の文を聞くときは、次のような点に注意して聞きます。

- だれが（話し手と聞き手のどちらが）それをするか
- その話題について話し手はどう思っているか
- その出来事は起こったか、起こっていないか

そのほか、会話でよく使われる表現やイントネーションに注意して聞くことが大切です。

1－A 「だれがするか」を聞き取る

使われている表現に注意して、そのことを「だれがするか」を理解します。

<table>
<tr><th colspan="2">話し手がする</th><th colspan="2">聞き手がする</th></tr>
<tr><td>許可求め</td><td>～させて＋ほしいんだけど
　　　　　ください／くださいませんか
　　　　　もらえる？／もらえない？
　　　　　もらえませんか
　　　　　いただきたいんですが
　　　　　いただけませんか
　　　　　くれない？／くれませんか
～ても＋　いい？／いいですか
　　　　　いいでしょうか
　　　　　よろしいでしょうか</td><td>依頼</td><td>～て＋ほしいんだけど
　　　ください／くださいませんか
　　　もらえる？／もらえない？
　　　もらえませんか
　　　いただきたいんですが
　　　いただけませんか
　　　くれない？／くれませんか
　　　くれる（もらえる）と助かるん
　　　　ですが（ありがたいんですが）</td></tr>
<tr><td>申し出</td><td>～ましょうか／～ようか／～ますね</td><td>提案・指示</td><td>～たら＋どう？／どうですか
～ば＋　いいんじゃない？
　　　　いいと思います
～たほうがいいですよ</td></tr>
</table>

＊「～ておく」が一緒に使われる場合、「～とく」「～ときます」「～といて」「～とこう」のように音が変化します。（→「Ⅰ　音声の特徴に慣れる」）

例　置いといてもらえる？
　　買っときましょうか。

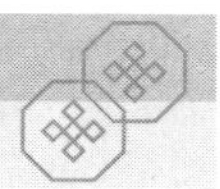

練習1－A

会話を聞いてください。男の人が女の人に話しています。だれがしますか。

(例) 用意する　（ 男 ・ 女 ）

(1) 予約する　（ 男 ・ 女 ）

(2) 使う　（ 男 ・ 女 ）

(3) 試す　（ 男 ・ 女 ）

(4) 直す　（ 男 ・ 女 ）

(5) 置く　（ 男 ・ 女 ）

(6) 電話する　（ 男 ・ 女 ・ 鈴木さん ）

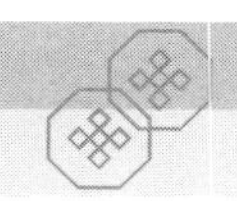

1-B 「話し手はどう思っているか」を聞き取る

意見や報告などの文を理解するときは、その話題について話し手がそうだと思っているか、違うと思っているかに注意します。中でも間違えやすい表現に「〜じゃない（と思います）」と「〜んじゃない（かと思います）」があります。

例1　これじゃない。／これじゃないと思います。

例2　これなんじゃない？／これなんじゃないかと思います。

例1の「これじゃない」は「これではない」という否定の意味で、文末が下がります。例2の「これなんじゃない？」は反対に「これだ」という肯定の意味で、文末が上がります。「と思う」に続くときは、イントネーションが同じなので、「か」があるかないかに注意して聞きます。

「〜んじゃない」はほかにも次のような形で使われることもあります。

・おいしいんじゃないの？　＝　おいしいと思う

・行ったんじゃないかな。　＝　行ったと思う

・できないんじゃないでしょうか。　＝　できないと思う

練習1-B

文を聞いてください。女の人の意見と合うのはどちらですか。A14

(例)（　（いい）　・　よくない　）

(1)（　安い　・　安くない　）

(2)（　話せる　・　話せない　）

(3)（　便利だ　・　便利ではない　）

(4)（　田中さんだ　・　田中さんではない　）

(5)（　これだ　・　これではない　）

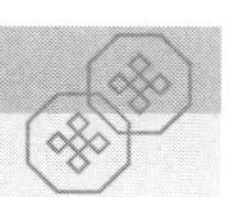

1-C 「起こったか、起こっていないか」に注意して聞く

意見、報告、感想を理解するときは、説明されている出来事が実際に起こったかどうかを考えることも大切です。特に、タ形が使われていても実際には起こっていないことを表す表現に気をつけます。

【実際に起こった】

- ・〜て〜た　例 行ってよかった。
- ・(タ形) ところだ　例 帰ったところだ。

【実際には起こっていない】

- ・〜そうだった／そうになった　例 泣きそうだった。／落ちそうになった。
- ・〜たかった／てほしかった (けど)　例 会いたかったんだけど。／見に来てほしかったな。
- ・(辞書形／タ形) つもりだった　例 返すつもりだった。／入れたつもりだった。
- ・(辞書形) ところだった　例 忘れるところだった。
- ・〜ようと思っていた (けど)　例 渡そうと思ってたんだけど。
- ・〜ようとしたら　例 出ようとしたら雨が降ってきた。

練習1-C

男の人の話を聞いて、実際はどちらか選んでください。(A15)

(例) ((遅刻した) ・ 遅刻していない)

(1) (負けた ・ 負けていない)

(2) (間に合った ・ 間に合っていない)

(3) (参加した ・ 参加していない)

(4) (行った ・ 行っていない)

(5) (電話をかけた ・ 電話をかけていない)

(6) (頼まれた ・ 頼まれていない)

(7) (入れた ・ 入れていない)

(8) (出かけた ・ 出かけていない)

(9) (座った ・ 座っていない)

(10) (なくした ・ なくしていない)

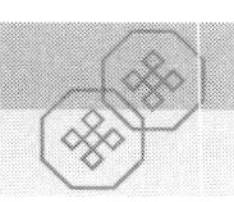

1-D イントネーションに注意して聞く

同じ表現でも、イントネーションによって意味が変わることがあります。イントネーションに注意して、何かを報告している文なのか、相手に聞いている文なのかを理解する必要があります。

例1 これ、昨日買ったの。（＝「昨日買った」ことを報告する）

例2 来週のパーティー、来ないの？（＝「来ない」かどうか聞く）

例3 今日は、お弁当、要らない。（＝「要らない」ことを報告する）

例4 あの映画、一緒に見ない？（＝「見る」かどうか聞く）

例5 リーさん、今日休むって。（＝「休む」ことを報告する）

例6 え？　休むって？（＝「休む」ことを確認するために聞く）

例7 さっき食べてきたんだ。（＝「食べてきた」ことを報告する）

例8 あ、携帯電話、替えたんだ。（＝「替えた」ことを確認する）

☆ 例題1－D

文を聞いてください。どちらですか。A17

(1)（　報告している文　・　聞いている文　）

(2)（　報告している文　・　聞いている文　）

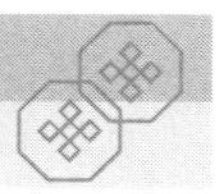

答え (1)聞いている文　(2)報告している文

(1)は、文末を上げて、相手に新聞がどこにあるか聞いています。

(2)は、文末を下げて、「知らない」ということを報告しています。

◆スクリプト

(1)　新聞、知らない？

(2)　それ、知らない。

練習1－D

文を聞いてください。どちらですか。 A18

(1)　(　報告している文　・　聞いている文　)

(2)　(　報告している文　・　聞いている文　)

(3)　(　報告している文　・　確認している文　)

(4)　(　報告している文　・　確認している文　)

(5)　(　報告している文　・　聞いている文　)

(6)　(　報告している文　・　聞いている文　)

(7)　(　報告している文　・　聞いている文　)

(8)　(　報告している文　・　聞いている文　)

(9)　(　報告している文　・　聞いている文　)

(10)　(　報告している文　・　聞いている文　)

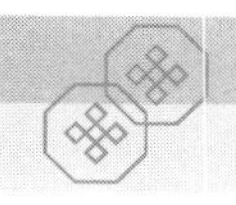

1-E 会話でよく使われる表現に注意して聞く

ここでは、最初の文を聞いて、その機能をすぐに判断する練習をします。会話でよく使われる次のような表現に注意します。

機能	表現	例文
質問（確認）	～っけ	あれ、試験って木曜日だっけ。
	～の？	あ、佐藤さんって、結婚してるの？
提案	～たらどう？ ～たほうがいい	こっちの色にしたらどう？ もっと大きくしたほうがいいよ。
指示	～なくちゃ／～なきゃ ～ないと	もっときれいに書かなくちゃ。 そろそろ行かないと。
申し出	～ましょう（か）	荷物、持ちましょうか。
誘い	～ませんか／～ましょう	一緒に行きませんか。
感想	～といったら／～っていったら	休日の混雑っていったらすごいよ。
	～なんて	4月に雪が降るなんて。
報告	～（んだ）って	田中さん、会社辞めるんだって。
	～ちゃう／じゃう（＝てしまう）	あ、忘れちゃった。

☆ 例題1-E

文を聞いてください。どれですか。 A19

（　確認　・　感想　・　報告　）

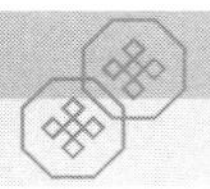

答え 確認（かくにん）

◆スクリプト

小林（こばやし）さん、あしたから出張（しゅっちょう）だっけ。

練習（れんしゅう）1－E

文（ぶん）を聞（き）いてください。どれですか。 A20

(1)	（	確認（かくにん）	・ 感想（かんそう）	・	報告（ほうこく）	）
(2)	（	確認（かくにん）	・ 感想（かんそう）	・	報告（ほうこく）	）
(3)	（	確認（かくにん）	・ 感想（かんそう）	・	報告（ほうこく）	）
(4)	（	確認（かくにん）	・ 感想（かんそう）	・	報告（ほうこく）	）
(5)	（	確認（かくにん）	・ 感想（かんそう）	・	報告（ほうこく）	）
(6)	（	質問（しつもん）	・ 指示（しじ）	・	申（もう）し出（で）	）
(7)	（	質問（しつもん）	・ 指示（しじ）	・	申（もう）し出（で）	）
(8)	（	質問（しつもん）	・ 指示（しじ）	・	申（もう）し出（で）	）
(9)	（	質問（しつもん）	・ 提案（ていあん）	・	報告（ほうこく）	）
(10)	（	指示（しじ）	・ 申（もう）し出（で）	・	誘（さそ）い	）

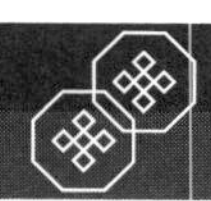

2-A 応答のパターン

次に、返事の文について考えます。会話では、ある文とそれに答える文には、次のような関連があるのが基本です。ここではまず、会話のパターンに沿って話が流れているかどうかに注意します。

始めの文	答える文
質問 例晩ご飯、何が食べたい？ 例あの映画、見たことある？	情報提示 例天ぷらがいいな。
	肯定 例うん、見たよ。
	否定 例ううん、まだ。
誘い・依頼・申し出・許可求め・提案・勧め 例あした映画見に行かない？	受け 例いいよ。行こう。
	断り 例うーん、あしたは無理だな。
苦情・注意 例ここに車を止めないでください。	謝り 例あ、すみません。
	反論 例ここは止められるところでしょ。
意見・感想・主張 例こっちの方が軽くていいと思うな。	同意 例そうだね。そっちがいいね。
	不同意・反論 例でも色はこっちがいいんじゃない？
報告 例あの人、結婚するんだって。	感想（驚き・怒り）・了解など 例えー！　知らなかった。
愚痴・相談 例最近よく眠れなくて。	アドバイス・励まし・共感など 例お医者さんに診てもらったらどう？
謝り・感謝 例遅くなってすみません。	受け 例いえいえ、大丈夫ですよ。
褒め・勧め 例素敵な洋服ですね。	謙遜・お礼・断り・遠慮 例古い物なんですけど。
あいさつ 例お先に失礼します。	あいさつ・お礼 例お疲れ様でした。

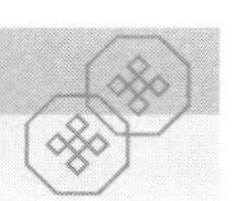

また、話している状況や伝えたい内容を理解するために、次のような決まった表現にも注意します。話している状況や伝えたい内容を知る手がかりになります。

【あいさつなどに使われる表現の例】(「ー」は答え)

会ったときのあいさつ	お礼	受け
先日はどうも お世話になっております ご無沙汰しております お変わりありませんか ーおかげさまで ー相変わらずです ごめんください	お世話になりました 助かりました わざわざすみませんでした 悪いなあ／悪かったね	どういたしまして 構いません (それで)結構です
別れるときのあいさつ	**謝り**	**その他**
お気をつけて (お先に)失礼します お大事に お疲れ様でした ご苦労様でした お邪魔しました	ご迷惑をおかけしました すまなかったね 申し訳ございません 悪いね／悪かったね	(いいえ、)結構です〈断り〉 申し訳ないんですが〈断り〉 悪いんだけど〈断り〉 とんでもないです　〈謙遜〉 お口に合うかどうか〈勧め〉 ーお構いなく〈遠慮〉

練習2－A

文を聞いて、それに対する返事の文を聞き、よい方を選んでください。A21

(例)　(　a　　ⓑ　)

(1)　(　a　　b　)

(2)　(　a　　b　)

(3)　(　a　　b　)

(4)　(　a　　b　)

(5)　(　a　　b　)

(6)　(　a　　b　)

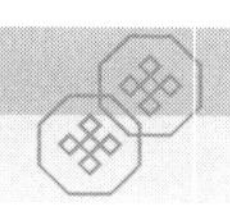

2-B 間接的な答え方

実際の会話では、2-Aのような応答のパターンに合わないように見える場合があります。例えば、次の(3)はどんな意味でしょうか。

例 男：一緒に行きませんか。　　誘い

女：(1)ええ、行きましょう。　　受け

(2)ごめんなさい、今日は行けないんです。　　断り

(3)ちょっと、熱があるんです。　　？

男の人は女の人を「行きませんか」と誘っているので、女の人は(1)や(2)のように、行くか行かないかを答えるのが基本です。しかし、(3)では、「熱があるんです」と質問とは直接関係のなさそうなことを答えています。

これは「熱がある」から「出かけられない」ということを相手に想像させ、それによって間接的に「断っている」ので、応答のパターンに合っています。

このように、断ったり反論したりするなど、相手にとって残念な答えの場合には、特に(3)のような間接的な答え方が多く使われます。

練習2-B

会話を聞いてください。女の人の返事が「同意や受け」など肯定的なら○、「不同意や断り」など否定的なら×を選んでください。A22

(例) (○ ・ ⊗)

(1) (○ ・ ×)

(2) (○ ・ ×)

(3) (○ ・ ×)

(4) (○ ・ ×)

(5) (○ ・ ×)

(6) (○ ・ ×)

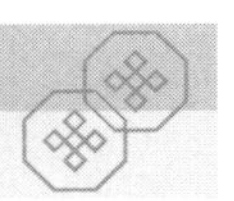

2－C 音の高さや長さに注意

同じ表現でも、音の高さや長さなど、言い方によって意味が変わることがあります。また、話す前に出す短い「あ」や、低くて長い「あー」などの音声にも注意が必要です。

☆ 例題２－C

文を聞いて、それに対する返事の文を聞き、<u>不同意や断り</u>を表す方を選んでください。

(1)（　a　　　　b　）

(2)（　a　　　　b　）

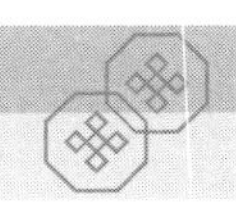

答え (1) b　(2) b

「そうですね」と最初を強くするのは同意、「そうですねえ」と最後を低く伸ばすのは疑問や不同意を表します。また、話す前に(1)「うーん」(2)「あー」と、低く長い声を出していますが、これは不同意や断りなど、相手にとって残念な情報を伝えようとしているときに、よく使われます。

◆スクリプト

(1)　男：前の案より今回の方がいいと思うんですが。
　　女：a　うん、そうですね。
　　　　b　うーん、そうですねえ。　(不同意)

(2)　男：日曜日、暇だったら一緒に映画に行きませんか。
　　女：a　あ、日曜日ですか。
　　　　b　あー、日曜日ですかー。　(断り)

練習２－Ｃ

文を聞いて、返事の文を聞き、不同意や断りを表す方を選んでください。(A 24)

(1) (　a　　b　)　(2) (　a　　b　)
(3) (　a　　b　)　(4) (　a　　b　)
(5) (　a　　b　)　(6) (　a　　b　)

確認問題 (A 25)

まず文を聞いてください。それから、それに対する返事を聞いて、１から３の中から、最もよいものを一つ選んでください。

(1) | 1　2　3 |
(2) | 1　2　3 |
(3) | 1　2　3 |
(4) | 1　2　3 |

Ⅲ 「課題理解」のスキルを学ぶ

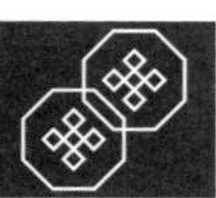

問題形式と内容

まとまりのある話から指示や助言などを聞き取り、これからするべきことを理解します。選択肢は文字またはイラストで問題用紙に印刷されているので、それを見ながら話を聞きます。

状況説明文と質問文を聞く → 話を聞く → もう一度質問文を聞く

→ 問題用紙にある選択肢から答えを選ぶ

N2の課題理解問題では、日常的な場面で、自分のするべきことを理解します。例えば、次のような質問の答えを考えます。

例1 男の人と女の人がパーティーの準備をしています。2人は何を準備しますか。

例2 女の学生が先生と話しています。女の学生はまず何をしますか。

1 するべきことを理解する

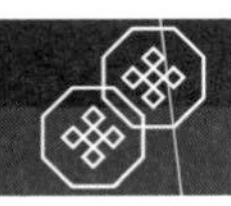

ここでは、以下のような表現から、するべきことを考えます。

(1)働きかけの表現(→II 「即時応答」のスキルを学ぶ)

依頼や指示、提案など、相手に働きかける表現に注意します。

〜てください／〜てくれない？／〜てくれると助かる／お願い／頼むよ

(2)するかしないかを示す表現

次のような表現に注意して、必要かどうかの説明を聞きとります。

するべきこと　　　：〜なきゃ／〜が要る／〜は、まだ／〜ないと困る／〜たほうが

しなくてもいいこと：要らない／いいよ／〜なくてもいい／もう〜てある／まだ使える／まだある／大丈夫だ

また、質問や現状を言うことで、間接的に必要だと伝える言い方に注意します。

例1 あれ？ 電池、どこだっけ。

例2 ラジオ、忘れてた。

(3)同意するかどうかを示す表現

説明や働きかけに対する答えの文が同じ意見(同意する)か、違う意見(同意しない)かを聞き取ります。特に同意しないことを表す表現には注意します。それは多くの場合、しなくてもいいことになります。

同意しない	同意する
うーん／でも／そうかなあ／そうかしら／それはそうだけど／ちょっと／それはいいよ	うん／いいね／そうだね／そうか／なるほど／お願い／よろしく／助かる／そうしよう／まあね／一応ね

☆ 例題1－1

会話を聞いてください。男の人の気持ちはどちらですか。 A26

(1) (　同意しない　・　同意する　)

(2) (　同意しない　・　同意する　)

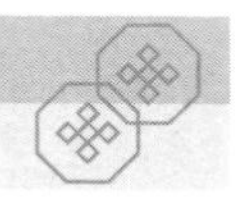

答え (1)同意しない (2)同意する

(1)の「そうかなあ」は相手の提案と違う気持ちであることを表します。(2)の「よろしく」は相手の申し出を受け入れて、それを頼む表現です。

◆スクリプト

(1) 女：さっきのよりこっちの方がよさそうじゃない？

男：そうかなあ。

(2) 女：これ、運んどきましょうか。

男：ああ、よろしく。

練習1－1

会話を聞いてください。男の人の気持ちはどちらですか。

(1) (同意しない ・ 同意する)

(2) (同意しない ・ 同意する)

(3) (同意しない ・ 同意する)

(4) (同意しない ・ 同意する)

例題1－2

話を聞いて、質問の答えとして合うものに○をつけてください。 

チーズ

パン

お酒

ジュース

お菓子

靴下

電球

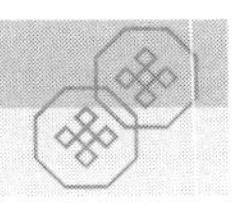

答え パン、ジュース、靴下、電球

「チーズ・パン→買わなくちゃ」「ジュース→～にしよう」「電球→お願い」と言っているものは、これから買う物です。「靴下」については、男の人が「買ってきていい？」と聞いたのに対し、女の人が「じゃ、ついでに電球もお願い」と答えていることから、買うと理解できます。一方、「チーズ→まだある」「お酒→車で来るから、ちょっと」「お菓子→一応ある」は、買わない物です。最初に「チーズとパン、買わなくちゃ」と言っていますが、その後で「チーズ、まだある」と言っているので、このうちパンだけを買うことに注意します。

◆スクリプト

スーパーで女の人と男の人が話しています。２人はこれから何を買いますか。

女：えーと、チーズとパン、買わなくちゃね。

男：うん。あ、佐々木さんにいただいたチーズ、まだあるんじゃない？

女：あ、そうだった。あとは、飲み物。田中さんたち、お酒は飲めるんだっけ。

男：あー、あしたは車で来るから、ちょっとね。

女：そっか。じゃ、ジュースにしよう。あと、お菓子は一応あるし。

男：ねえ、靴下買ってきていい？

女：あー、２階で？ じゃ、ついでに電球もお願い。洗面所の１つ、切れちゃってるから。

男：じゃ、ちょっと行ってくるよ。

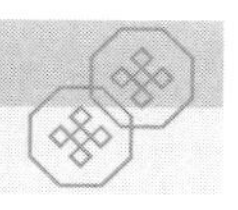

練習1－2

話を聞いて、質問の答えとして合うものに○をつけてください。

(1) A29

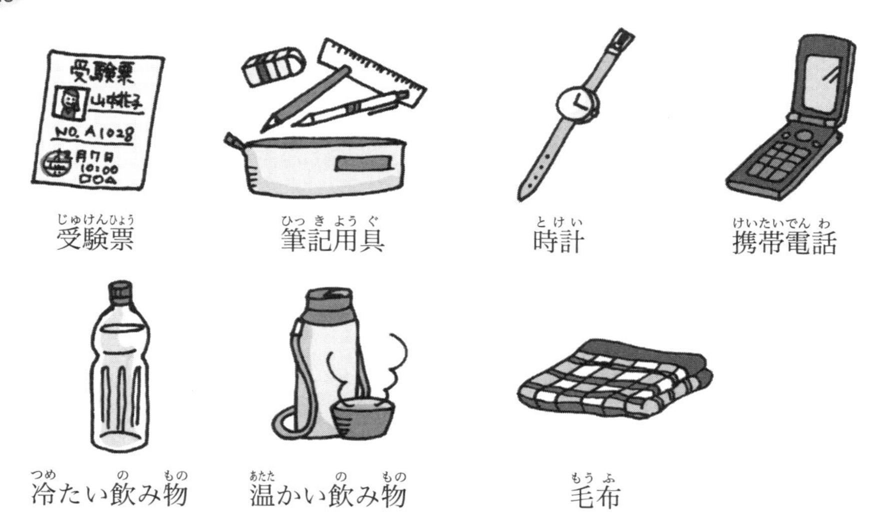

受験票　　筆記用具　　時計　　携帯電話

冷たい飲み物　　温かい飲み物　　毛布

(2) A30

いすとテーブルをふく　　料理を用意する　　飲み物を買う

紙皿、紙コップ、はしを持ってくる　　記念品を買う　　花を受け取りに行く

(3) A31

荷物を整理する　　区役所へ行く　　ガス・電気会社の人を待つ

本棚を買う　　お弁当を買う　　コーヒーを買う

2 最初にすることを考える

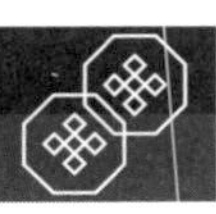

質問で「最初にすることは何か」と聞いている場合は、「最初にすること」や「する順序」を示す表現などに注意します。

- 最初にすることを示す表現：まず／最初に／はじめに
- する順序を示す表現：それから／〜前に／〜後で／〜てから／〜たら／〜ないうちに
- いつするかを示す表現：先に／今すぐ／急いで／後で／後回し
- ほかの案を示す表現：それより／やっぱり

☆ 例題2

話を聞いて、質問の答えに○をつけてください。 A32

朝ご飯を食べる　　洗濯物を干す　　新聞を取ってくる　　ごみを出す

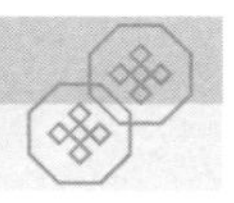

答え ごみを出す

男の人がすることは「朝ご飯を食べる」「洗濯物を干す」「新聞を取ってくる」「ごみを出す」ことです。男の人が「干したら（ごみを出しに）行ってくる」と言ったのに対して、「でも、…先にお願い。」と言っているので、まず最初にごみを出すことがわかります。

◆スクリプト

朝、家で女の人と男の人が話しています。男の人はこの後まず、何をしますか。

女：えーと、こっちが朝ご飯で、こっちがお弁当用で……。そろそろ朝ご飯できるから、食べて。

男：洗濯、終わったみたいだけど、おれ、干そうか。

女：お願いできる？　後で新聞も取ってきてね。わたし、お弁当作っちゃうから。

男：うん、いいよ。

女：あ、いけない！　資源ごみの日、今日だった！　ちょっと行ってきてくれる？

男：うん。ここにあるびんと缶だけでいい？　これ、干したら行ってくるよ。

女：あ、でも、缶の回収がそろそろ来ちゃうから、先にお願い。あと、このびんも。

男：わかった。

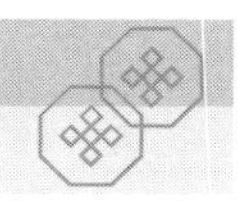

練習2

話を聞いて、質問の答えに○をつけてください。

(1) A33

割れたガラスを片づける　　指にばんそうこうをはる

ティッシュで血をふき取る　　ゴムの手袋をする

(2) A34

玄関の掃除　　昼ご飯の後片づけ

服を着替える　　お菓子を買いに行く　　テレビの周りの片づけ

(3) A35

知り合いに頼む　　講義を受ける　　社員に声をかける

お知らせを作る　　課長に話す　　正式に依頼する

3 条件に合う情報を聞き取る

状況説明文で条件が説明されているときは、話の中の情報から、条件に合うものだけを聞き取ります。条件と関係のない情報は、メモを取る必要はありません。

☆ 例題3

話を聞いて、①に答えてください。その後、②に答えてください。 

①ア．あなたの受験番号は何番ですか。

イ．受験票に「A」と書いてある人は、何時から面接ですか。

a　午前10時から

b　午後2時から

ウ．受験番号の下2桁が「21〜30」の人は、どの教室へ行きますか。

a　201教室

b　205教室

c　303教室

②あなたは、これからどうしなければなりませんか。

1　10時に205教室へ行く

2　10時に303教室へ行く

3　2時に205教室へ行く

4　2時に303教室へ行く

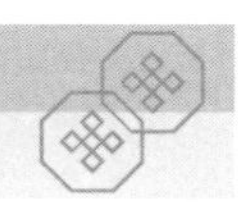

答え ①ア．A 1028番　イ．a　ウ．c　②2

まず、状況説明文の「受験番号はA 1028番」を聞き取り、それに関係のある情報だけを聞きます。「A」から面接の時間が、番号の下2桁「28」からどの教室で面接を受けるかがわかります。「P」や下2桁「1番から10番」「11番から20番」の情報は、答えと関係がありません。

◆スクリプト

面接会場で説明を聞いています。あなたの受験番号はA 1028番です。あなたは、これからどうしなければなりませんか。

男：では、面接の受け方を説明します。皆さん、4桁の受験番号をお持ちだと思いますが、今お集まりの方は番号の前のアルファベットがAだと思います。これは午前10時からの面接の方です。もしPの方がいらっしゃったら、午後2時からの面接となりますので、後ほどおいでください。では、これから教室をご案内します。番号の下2桁の数字が、1番から10番までの方は201教室、11番から20番までは205教室、21番から30番までは303教室においでください。

練習3

話を聞いて、①に答えてください。その後、②に答えてください。

(1) A37

①ア．映画は何時からですか。

a　午後2時から　　b　午後4時から　　c　午後4時20分から

イ．映画はどこでありますか。

a　1階ロビー　　b　2階ホール　　c　3階メディアルーム

②映画を見たい人は、どうしますか。

1　2時に2階ホールへ行く
2　4時に3階メディアルームへ行く
3　4時20分に1階ロビーへ行く
4　4時20分に3階メディアルームへ行く

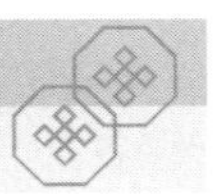

⑵ A38

①ア．あなたの希望日(きぼうび)はいつですか。

イ．空(あ)き状況(じょうきょう)を知(し)りたいとき、何番(なんばん)を押(お)せばいいですか。

a　1

b　2

c　3

ウ．希望日(きぼうび)は、何番(なんばん)を押(お)せばいいですか。

a　８４

b　０８０４

c　０８０８

②あなたの希望日(きぼうび)の空(あ)き状況(じょうきょう)を知(し)りたいとき、どの番号(ばんごう)を押(お)せばいいですか。

1　１８４

2　１０８０８

3　２０８０４

4　２０８０８

4 条件を聞き取って整理する

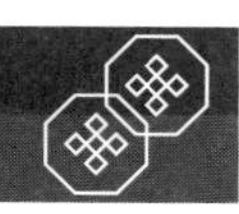

条件が状況説明文で示されず、話の中で説明される場合の練習をします。提示される条件を聞き取って、整理します。

☆ 例題4

話を聞いて、①に答えてください。その後、②に答えてください。 A39

①ア．駅から空港までふつう、何分かかりますか。

イ．女の人は何時に着きたいですか。

ウ．男の人はどんなことを勧めましたか。

②女の人は何時のバスに乗りますか。

1　9時45分
2　10時
3　10時15分
4　10時30分

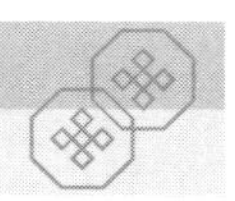

答え ①ア．30分弱　イ．10時半　ウ．15分ほど早い方がいい　②1

駅から空港までかかる時間「30分」と、空港に着きたい時間「10時半」、そして男の人が勧める「15分ほど早い方が安心」という情報を合わせると、②は「９時45分」になります。また、女の人が乗ろうと思ったバスの時間である「10時」から「15分ほど早い」バスと考えても同じ答えになります。

◆スクリプト

女の人がバス会社の人にバスの時間について聞いています。女の人は何時のバスに乗りますか。

男：はい、チーターバスでございます。

女：あのー、ちょっと伺いたいんですが。

男：はい。

女：大橋駅から出ている、空港行きのバスなんですけど、何分ぐらいかかりますか。

男：そうですね。ふつうは30分弱ですが。何時ごろでしょうか。

女：えーと、朝10時半に空港に着きたいので、10時のに乗ればいいでしょうか。

男：そうですねえ。朝は道が込んで遅れる場合もありますので、15分ほど早い方が安心だと思います。

女：そうですか。わかりました。ありがとうございました。

練習４

話を聞いて、①に答えてください。その後、②に答えてください。

(1)　A 40

①男の人と女の人の都合が悪いのはいつですか。

男の人：

女の人：

②２人はいつ映画を見ますか。

1　月曜日の午後２時から

2　水曜日の午後２時から

3　木曜日の午前10時から

4　木曜日の午後２時から

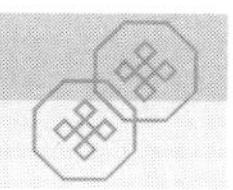

(2) A41

①ア．女の人が希望する条件は何ですか。

イ．上の条件の中で、変えてもよいものに×をつけてください。

②女の人はどの部屋を見せてもらいますか。

1

さくらハイツ　1階103号室
駅から徒歩8分　50,000円
1DK (35㎡)
ふろ・トイレ・キッチン　あり

2

コーポオカムラ　1階106号室
駅から徒歩7分　70,000円
1DK (50㎡)
ふろ・トイレ・キッチン　あり

3

メゾンCOCO　2階202号室
駅から徒歩15分　50,000円
1DK (35㎡)
ふろ・トイレ・キッチン　あり

4

サン・コーポ　2階217号室
駅から徒歩8分　70,000円
1DK (50㎡)
ふろ・トイレ・キッチン　あり

(3) A42

①ア．部屋の人数　　A室とB室 ＿＿＿人

C室とD室 ＿＿＿人ぐらい

イ．研修会に参加する人数 ＿＿＿人ぐらい

②女の人はどの部屋を申し込みますか。

1　AとB

2　BとC

3　CとD

4　D

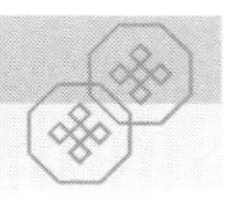

確認問題 A43

まず質問を聞いてください。それから話を聞いて、１から４の中から、最もよいものを一つ選んでください。

(1) A44

A　燃やせるごみ

B　段ボール

C　ペットボトル

D　カップラーメンの容器

E　ビデオテープ

1　C　D

2　D　E

3　B　C　D

4　A　B　C

(2) A45

1　店でカレーを食べる

2　家でカレーを食べる

3　店でピザを食べる

4　家でピザを食べる

(3) A46

1　資料を取り寄せる

2　先輩に会う

3　オープンキャンパスに行く

4　自分のやりたいことを考える

Ⅳ 「ポイント理解」のスキルを学ぶ

問題形式と内容

話の中から、あるポイントに絞って情報を聞き取ります。話の前に質問があるので、それを聞いて、聞き取るポイントを意識します。選択肢は印刷されています。

状況説明文と質問文を聞く → 問題用紙にある選択肢を読む

→ 話を聞く → 質問文を聞く → 選択肢から答えを選ぶ

例えば、次のような質問に答えます。

例1 この女の人はどうしてパーティーに行けないのですか。

例2 男の人がこのクラブを作った一番の目的は何ですか。

例3 女の人はどうして怒っていますか。

「どうして、何、どんな、どう」などの言葉に注意して、質問を正確に聞き取ります。

実際の試験では、質問の後、話が始まるまで20秒ぐらい時間があります。その間に選択肢を読んで、どんなことを聞き取ればいいか考えます。

1 話し手の意図を考えて、必要な情報かどうかを判断する

話の中に質問に関係することが出てきたら、答えになるかどうかを考えます。答えかどうかを判断するためには、その部分の話し手の意図を理解することが大切です。話し手の意図が否定的で、質問の答えにならないと思ったら、その情報は捨てていきます。肯定的な情報やはっきりと否定されていない情報はメモするなどしてとっておきましょう。そして、話を聞き終わってから最も適切な答えを選びます。

(1)同意・不同意を示す表現(→Ⅲ 「課題理解」のスキルを学ぶ)

・同意することを示す表現：そうでしょ？／ほんとにね／もちろん／よくわかったね

・同意しないことを示す表現：まさか／たいしたことない／それほどでも／ただ／だって

(2)肯定・否定の間接的な答え方(→Ⅱ 「即時応答」のスキルを学ぶ)

例1 A：ねえ、このお菓子食べる？

B：ああ、これ、大好きなんだ。(肯定的)

例2 A：ねえ、このお菓子食べる？

B：あー、今、ダイエットしてるんだ。(否定的)

「ああ(高い音)」や「あー(低く伸ばす音)」なども手がかりになります。

(3)「～から・～けど・～て」などで終わる文

例3 A：仕事終わったんなら、一緒に夕飯食べない？ B：一応終わったしね。

例4 A：仕事終わったんなら、一緒に夕飯食べない？ B：一応終わったけど……。

例5 A：この電子辞書、買うの？ B：ちょっと高いけどね。

例6 A：この電子辞書、買う？ B：ちょっと高いから……。

文末の「し」「けど」「から」と文の内容を合わせて考えると、Bの意図は、例３と例５は肯定的で、例４と例６は否定的だと理解できます。

☆ 例題１－１

会話を聞いてください。男の人と女の人が話しています。女の人は何が言いたいですか。

(1) 1 冷たいものを飲みたい　2 冷たいものは飲まなくてもいい

(2) 1 貸してあげる　2 貸せない

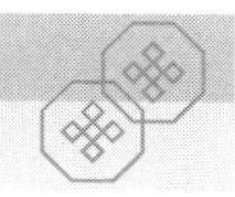

答え (1) 1　(2) 2

(1)では、「どこかで冷たいものでも飲もうか（＝店に入らないか）」という男の人の提案に対して、女の人は「（外は）暑いし」という理由を「ね」とともに述べています。つまり男の人の提案に沿って、「外が暑いから、店に入って冷たいものでも飲もう」と言っていると考えることができます。

(2)では女の人は、「まだ使って（い）る」ということを「から」とともに伝えています。つまり、「自分がまだ使っているから、今は貸せない」という意味です。

◆スクリプト

(1)　男：どこかで冷たいものでも飲もうか。
　　女：暑いしね。

(2)　男：これ、借りてもいい？
　　女：あー、まだ使ってるから。

練習 1－1

会話を聞いてください。男の人と女の人が話しています。女の人は何が言いたいですか。

(1)　1　やりたい　　　2　やりたくない
(2)　1　乗りましょう　　2　歩きましょう
(3)　1　おいしい　　　2　おいしくない
(4)　1　込んでいる　　2　すいている
(5)　1　教える　　　　2　教えられない
(6)　1　いい　　　　　2　よくない

例題 1－2

状況説明文と質問を聞いてから、選択肢を読んでください。それから話を聞いて、質問の答えとして否定されたものには×を、肯定されたものには○を（　　）に書いてください。

A 49

1　席を譲られたから　　　（　　　）
2　傘がなくなったから　　（　　　）
3　雨に降られて濡れたから　（　　　）

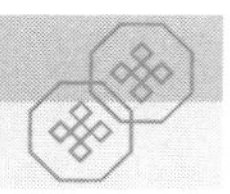

答え　1 ×　2 ○　3 ×

1の「席を譲られた」は、「(そんなことを言うあなたは)失礼ね」と間接的に否定されています。2の「傘がなくなった」は「何かとられたの？」という質問に対して、「よくわかったわね。……傘なの」と言っていることから、肯定されていることがわかります。3の「雨に降られて濡れた」は、「それは大丈夫だったんだけど」という言葉で否定されています。

◆スクリプト

女の人と男の人が話しています。女の人はどうして怒っていますか。

女：昨日、電車で嫌なこと、あったの。

男：あ、若い人に席を譲られたとか。

女：失礼ね。そんな年じゃありません。

男：じゃ、何？　何かとられたの？　財布とか。

女：よくわかったわね。実は、傘なの。手すりのところに掛けておいたんだけど。

男：ああ、そう。昨日は夜まで降ってたから、帰るとき濡れたでしょ。

女：それは大丈夫だったんだけど。わたしの傘の代わりに、ビニール傘が置いてあってね。

男：ふーん。それなら、間違えられたんじゃない？

女：そうかな。駅の人に聞いてみようかな。あーあ。

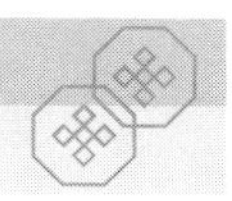

練習1－2

状況説明文と質問を聞いてから、選択肢を読んでください。それから話を聞いて、質問の答えとして否定されたものには×を、肯定されたものには○を（　　）に書いてください。

(1) A50

1　好きなサッカーチームが優勝したから　（　　　）

2　自分が撮った写真が賞をとったから　（　　　）

3　自分の先生が賞をとったから　（　　　）

(2) A51

1　使い方が難しいから　（　　　）

2　値段が高いから　（　　　）

3　物を増やしたくないから　（　　　）

(3) A52

1　世話が大変だから　（　　　）

2　庭がないから　（　　　）

3　旅行できなくなるから　（　　　）

2 言い換えに注意する

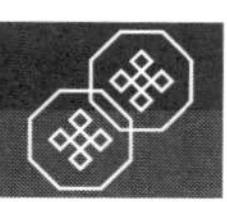

選択肢では、話の中の長い説明を、別の言い方で簡単に短くまとめていることがあります。また、2人の話を1つにしている場合もあります。

ここでは、話の内容に合う選択肢を選ぶ練習をします。

☆ 例題2－1

質問を聞いて、選択肢を読んでください。それから話を聞いて、質問に合う答えを選んでください。A53

1　厳しい

2　正しくない

3　あいまいだ

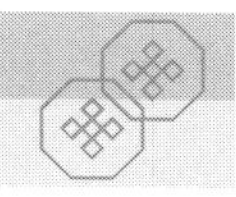

答え 3

「はっきりしない」「いいのか悪いのかどっちにも取れる」を言い換えているのは「あいまいだ」です。

◆スクリプト

男の人は課長の言うことはどうだと言っていますか。

男：課長の言うこと、いつもどうもはっきりしないんだ。だめならだめと言ってほしいよ。いいのか悪いのかどっちにも取れるようなこと言うんじゃ、誤解を招くよ。

練習2－1

質問を聞いて、選択肢を読んでください。それから話を聞いて、質問に合う答えを選んでください。

(1) A54
1 午前中に受けられる
2 午後になるかもしれない
3 今日は無理だ

(2) A55
1 どこでも通信できるものだ
2 生活になくてはならないものだ
3 広く普及しているものだ

(3) A56
1 必要性
2 いいアイディア
3 作る技術

例題2－2

状況説明文と質問を聞いてから、選択肢を読んでください。それから話を聞いて、質問の答えになるものに○、ならないものに×を書いてください。A57

1 突然痛みを感じたとき　（　　　）
2 体に傷ができたとき　（　　　）
3 痛みが残っているとき　（　　　）
4 痛いけれど活動できるとき　（　　　）

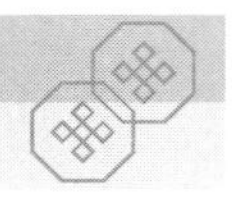

答え 1 ○　2 ×　3 ×　4 ×

質問では「冷や」すのはどんなときかと聞いています。「急性は冷やし」と言っていますから、「急性というのは」に続く文に注意します。この文と同じ意味を表しているのは、1の「突然痛みを感じたとき」です。

◆スクリプト

講演会で医者が話しています。どんなとき、痛いところを冷やしたほうがいいと言っていますか。

女：体のどこかに痛みを感じた場合、そこを冷やすべきか温めるべきかという質問をよく受けます。簡単に言うと、急性は冷やし、慢性は温めればいいのです。急性というのは、例えば、変な歩き方をして足をひねったり、急に腰が痛くなって動けなくなったりしたような場合です。このようなときは氷などで冷やしてください。でも、転んですりむいたようなときは、冷やす必要はありません。また、急な痛みがなくなった後、まだ痛みを感じるとか、動けるけれども痛みが続くというようなものは急性ではありませんから、おふろに入るなどして温めるのが効果的です。

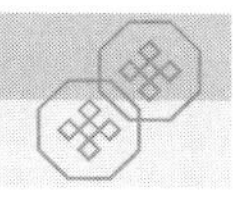

練習2－2

状況説明文と質問を聞いてから、選択肢を読んでください。それから話を聞いて、質問の答えになるものに○、ならないものに×を書いてください。

(1) A58

1 軽くて細い傘 (　　　)
2 片手で開ける便利な傘 (　　　)
3 丈夫で折りたためる傘 (　　　)
4 便利で骨の細い傘 (　　　)

(2) A59

1 子供の学校の成績を伸ばすこと (　　　)
2 子供に自信を持たせること (　　　)
3 親子で話をすること (　　　)
4 親子で記念になる物を作ること (　　　)

(3) A60

1 就職する会社に不満があるから (　　　)
2 今までの勉強を無駄にしたくないから (　　　)
3 今の知識で仕事をするのは不安だから (　　　)
4 もっと面白そうな仕事があるから (　　　)

3 多くの情報の中から必要な情報を拾う

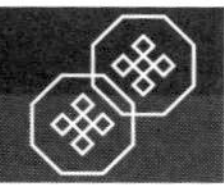

話の中で質問の答えに直接関係がある大切な部分を、表現を手がかりに判断できることがあります。その部分に集中して聞くとポイントがつかめます。必要な情報を拾い出すために、次のような表現に注意して聞きましょう。

(1)質問の中の言葉と同じ意味の表現

質問の中の言葉と同じ意味を表す表現が出てきたら、その前後で質問の答えになる情報を言っている可能性があります。

例1　＜質問＞男の人は<u>遅れそうなときは</u>どうしてほしいと言っていますか。
＜ 話 ＞……。もし、<u>間に合いそうにない場合</u>は、すぐにこの番号に……

(2)最も大切な情報を示す表現

最も大切なことなどを聞く問題では、一番大切なものを示す表現に注意します。

- 「１番」を示す表現：一番／最も／特に／中でも
- 相手の意見を一部認めた後で、大切な情報を示す表現
：もちろん〜が／たしかに〜が／それは〜が／どれも〜が
- 特に説明したいことを示す表現：実は／それが／やはり／それよりもっと／それより／実際には

☆ 例題３－１

状況説明文と質問を聞いてから、選択肢を読んでください。それから話を聞いて、質問の答えになるものに○、ならないものに×を書いてください。 A61

1　易しい言葉を選ぶ　（　　　）
2　聞いている人の顔を見る　（　　　）
3　できるだけゆっくり話す　（　　　）
4　よい内容の話をする　（　　　）

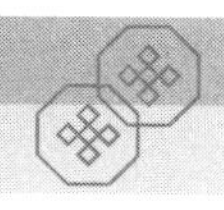

答え 1 × 2 × 3 × 4 ○

スピーチの大切なポイントがいくつか話されていますが、質問で聞いている「最も大切な」ことは、「一番大切なのは、やはり」に続けて説明している「話の面白さ」です。その後で「中身がよければ」「評価される」とも言っていますから、4の「よい内容の話をする」が質問の答えです。

このように、「もちろん大切ですが」と、ほかのことを大切だと認めてから、もっと大切なことを示すことがあるので注意します。

◆スクリプト

女の人がスピーチの仕方について話しています。スピーチで最も大切なのは何だと言っていますか。

女：スピーチは、聞いている人にとってわかりやすいことが大切です。そのためには、少し易しい言葉を選んだほうがいいですね。話すときは、大切なところはゆっくり話して、発音などにもできるだけ気をつけたほうがいいです。でも、全体的にゆっくり話す必要はありません。不自然になると気持ちも伝わりにくくなりますからね。そして、聞いている人の顔を見ながら話します。このような話し方ももちろん大切ですが、スピーチで一番大切なのは、やはり話の面白さだと思います。中身がよければ、きちんと評価されます。

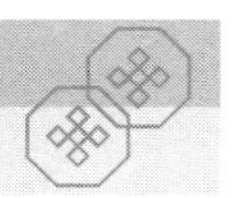

また、大切なことを示す表現があっても、そのすぐ後が答えになるとは限りません。下の例２のように、大切なことは最後まで聞かなければわからないことがよくあります。

例2　A：どうして遅れたの？
　　　B：実は、先生に翻訳の仕事をしてほしいって頼まれたんだけど、そのお礼にって昨日、夜遅くまで一緒に飲んでてね。朝、起きられなくて……。ごめん。

ここでの「遅れた」理由は「仕事を」「頼まれた」ことではありません。それまでの出来事を順に話してから「朝、起きられなくて」と話を終えています。これが理由になります。このように途中の部分的な情報だけで判断せず、いくつかの情報を全部頭の中に置いて出来事全体の流れをつかんでから、答えとして適切かを判断するといいでしょう。

☆ 例題３－２

状況説明文と質問を聞いてから、選択肢を読んでください。それから話を聞いて、質問の答えになるものに○、ならないものに×を書いてください。(A 62)

1　電車が止まっているから　（　　　）
2　病気になったから　（　　　）
3　授業が長引いたから　（　　　）
4　アルバイトが長引いたから　（　　　）

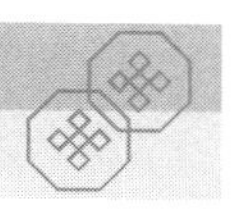

答え 1 × 2 × 3 × 4 ○

女の人が遅れる理由を聞き取る問題です。女の人が「遅れそう」と今の状況を説明した後、男の人は「電車が止まってるんだってね」と理由を予想して言っています。それに対して、女の人は「それがね」と説明を始めています。これは男の人の予想と異なる大切な情報を示す表現なので、その後を集中して聞きます。直後の「今、アルバイトが終わった」は状況の説明で、「アルバイト」が「予定より長引」いたことが理由なので、4が質問の答えです。

このように、状況を説明した後、続けて理由を説明することが多いので注意して聞きます。

◆スクリプト

女の人が友達と電話で話しています。女の人はどうして遅れると言っていますか。

女：もしもし、松下さん？ 水野だけど。

男：ああ、水野さん？

女：悪いんだけど、今日のクラブのミーティング、ちょっと遅れそうなの。

男：あ、電車が止まってるんだってね。さっき、鈴木さんからも電話があったよ。

女：あ、そうなの？ こっちは大丈夫そうだけど。それがね、今、アルバイトが終わったとこなんだ。友達が病気になっちゃって、今日は授業が休みだったから代わりに引き受けたんだけど、そしたら、予定よりも長引いちゃって。

男：そうなんだ。

女：うん。着くまでに30分ぐらいはかかりそうだから、悪いんだけど、ほかの人にも伝えてくれるかな。

男：わかった。じゃ、気をつけてね。

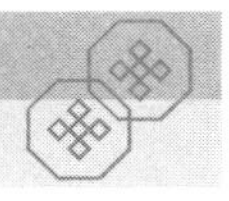

練習3

状況説明文と質問を聞いてから、選択肢を読んでください。それから話を聞いて、質問の答えになるものに○、ならないものに×を書いてください。

(1) A63
1 予定通り8時までに教室に集まる (　　　)
2 いつも通り教科書を持って登校する (　　　)
3 朝7時に自宅でメールを待つ (　　　)
4 朝7時に学校に電話をする (　　　)

(2) A64
1 円い方が丈夫だから (　　　)
2 円い方がよく見えるから (　　　)
3 円い形が好きな人が多いから (　　　)
4 円い方が掃除が簡単だから (　　　)

(3) A65
1 腕を速く動かす (　　　)
2 足を小さく動かす (　　　)
3 足の幅を広げて走る (　　　)
4 体を前に傾ける (　　　)

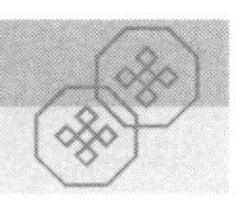

確認問題 A66

まず質問を聞いてください。そのあと、選択肢を読んでください。読む時間があります。それから話を聞いて、1から4の中から、最もよいものを一つ選んでください。

(1) A67
1 場所
2 研修後のイベント
3 期間
4 研修内容

(2) A68
1 田中さんがよく遅刻するから
2 田中さんがよく朝寝坊をするから
3 田中さんが大事な連絡をメールでするから
4 田中さんが大事な会議に遅れるから

(3) A69
1 毎日使っているから
2 懐かしい気持ちがあるから
3 今も気に入っているから
4 将来必要だから

Ⅴ 「概要理解」のスキルを学ぶ

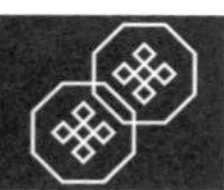

問題形式と内容

まとまりのある話を聞いて、主題や話者の意図、主張など話全体の内容を理解します。話の前に質問はありません。

状況説明文を聞く → 話を聞く → 質問文と選択肢を聞く → 答えを選ぶ

状況説明文が話の内容を予測する助けになるので、よく聞いてください。状況説明文では、どんな場面か、だれが話しているか、が説明されます。

	＜状況説明文＞		＜予測される内容＞
例1	店員が新製品について話しています。	→	商品説明（長所など）
例2	大学の先生が話しています。	→	授業の注意点
例3	男の人が友達の家へ来て話しています。	→	家へ来た理由（依頼、贈り物など）

質問と選択肢は話の後に音声で示され、次のようなことが質問されます。

・何について説明しているか
・何を主張しているか
・行動の意図は何か

1 例と例をまとめる言葉を聞き分けて、話題をつかむ

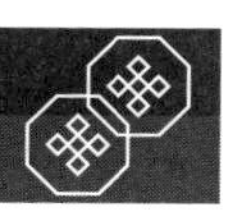

　話を聞くときは、出てきた言葉の関係を考えながら聞くと話題や状況がわかり、話が聞きやすくなります。ここでは単語から話題をつかんだり、「例をまとめる言葉」を見つけたりする練習をします。

1－A

　まず、いくつかの単語に共通することを考え、何について話しているかをつかむ練習をします。

☆ 例題１－A

いくつかの単語を聞いて、それらに共通することを考えてください。 A70

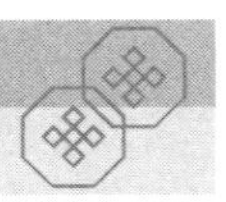

答え 「授業」「クラス」など。

◆スクリプト

教科書、ノート、先生、教室、欠席

練習１－A

１．いくつかの単語を聞いて、それらに共通することを考えてください。(A71)

(1)

(2)

２．文を聞いて、何について話しているか考えてください。(A72)

(1)

(2)

郵 便 は が き

料金受取人払郵便

麹町支店
承認

3530

差出有効期間
平成31年1月
22日まで
(切手不要)

102-8790

東京都千代田区 225
麹町3丁目4番
トラスティ麹町ビル2F

㈱スリーエーネットワーク
日本語教材愛読者カード係 行

お買い上げいただき、ありがとうございます。このアンケートは、より良い商品企画のための参考と致しますので、ぜひご協力ください。ご感想などは広告・宣伝に使用する場合がありますが、個人情報は無断で第三者に提供することはありません。

ふりがな

お名前

男・女
年 齢
歳

〒
ご住所

E-mail

ご職業

勤務先/学校名

当社より送付を希望されるものがあれば、お選びください

□図書目録などの資料　□メールマガジン　□Ja-Net(ジャネット)

「Ja-Net」は日本語教育に携わる方のための無料の情報誌です
WEBサイトでも「Ja-Net」や日本語セミナーをご案内しております

スリーエーネットワーク　sales@3anet.co.jp　http://www.3anet.co.jp/

アンケート　　　お答えいただいた方の中から抽選で毎月5名様に記念品を差し上げます

お買い上げになった本のタイトルは？（必須項目）

● **ご購入書店名**

＿＿＿＿ 市・区 町・村 ＿＿＿＿ 書店 ＿＿＿＿ 支店

● **本書をどのようにして知りましたか？**

□書店で実物を見て

□新聞・雑誌などの出版物で見て→出版物名＿＿＿＿

□知人のすすめ　　□当社からの案内

□当社からのメールマガジン　　□当社ホームページ

□当社以外のホームページ→ホームページ名＿＿＿＿

□ネット書店で検索→ネット書店名＿＿＿＿

□その他＿＿＿＿

● **本書のご感想、出版物へのご要望などをお聞かせ下さい**

価　格：□安い（満足）　□相応（まあまあ）　□高い（不満）

カバーデザイン：□良い（目立った）　□普通　□悪い（目立たなかった）

タイトル：□良い（内容がわかりやすい）　□普通　□悪い（内容がわかりにくい）

内　容：□非常に満足　□満足　□普通　□不満　□非常に不満

分　量：□少ない（薄すぎる）　□ちょうどいい　□多い（ボリュームがある）

自由にご記入下さい

● **本書をどのような目的で購入しましたか？**

□大学・日本語学校などの採用教科書　　□ボランティア日本語教室の教科書

□個人教授用の教科書　　□ご自身の参考書

□その他＿＿＿＿

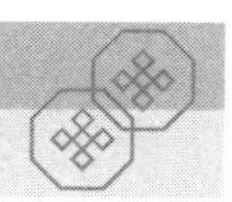

1-B

話の中には、例になる言葉と、それをまとめる言葉が出てきます。ここでは、ある言葉が「例」か「例をまとめる言葉」かを考える練習をします。

☆ 例題1-B

話を聞いてください。話の中に 春 という言葉が出てきます。
春 は「例」ですか、「例をまとめる言葉」ですか。 A73

春　（　例　・　例をまとめる言葉　）

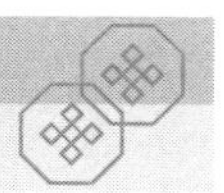

答え 例

ここでの「春」は例です。「春」の後に続いて、「秋」「夏」「冬」「梅雨」など同じような言葉が並んでいますが、これらも例で、「季節」が例をまとめる言葉です。

このように、出てきた言葉が例なのか例をまとめる言葉なのかを考えると、話全体の内容が理解しやすくなります。

◆スクリプト

女：春は日差しが暖かく、花が咲いて、新しい命が生まれる季節ですね。皆さんも春になると、新たな気持ちになるのではないでしょうか。もちろん、人によっては、春や秋ははっきりしないので好きではなく、暑い夏や寒い冬の方が好きだという人もいます。でも、梅雨のように毎日雨が続く季節がいいという人は、あまりいないのではないでしょうか。

練習1－B

話を聞いてください。［　　］の言葉は「例」ですか、「例をまとめる言葉」ですか。

(1) A74 ［小麦粉］ （ 例 ・ 例をまとめる言葉 ）

(2) A75 ［だいだい］ （ 例 ・ 例をまとめる言葉 ）

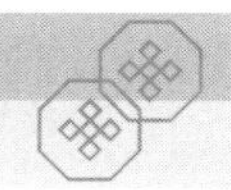

1－C

ここでは、話の中から「例をまとめる言葉」を見つける練習をします。主題を考えるときには、「例」よりも「例をまとめる言葉」の方が重要です。聞き取った言葉が「例」だと思ったら、「例をまとめる言葉」は何かを考えます。

☆ 例題１－C

話を聞いてください。「例をまとめる言葉」は何ですか。また、その「例」も書いてください。

（いくつでもよい）

(1) A76 例をまとめる言葉：＿＿＿＿＿＿＿＿＿＿＿＿＿＿＿＿

例：＿＿＿＿＿＿＿＿＿＿＿＿＿＿＿＿＿＿＿＿

(2) A77 例をまとめる言葉：＿＿＿＿＿＿＿＿＿＿＿＿＿＿＿＿

例：＿＿＿＿＿＿＿＿＿＿＿＿＿＿＿＿＿＿＿＿

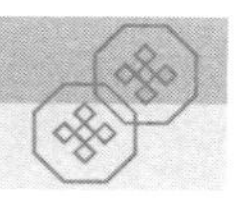

答え (1) 例をまとめる言葉：お米

例：コシヒカリ、ササニシキ、ひとめぼれ、八十九、ほほえみ

(2) 例をまとめる言葉：主食

例：お米、パン、めん類

(1)では「コシヒカリ」「ササニシキ」「ひとめぼれ」「八十九」「ほほえみ」の５つの「お米」の名前が出てきます。(2)では「お米」に続いて「パン」「めん類」が出てきます。同じような種類の言葉が２つ並ぶと、それらをまとめる言葉があると考えられます。ここではそれが「主食」です。

このように、同じ「お米」という言葉でも一緒に使われる言葉との関係で例になったり例をまとめる言葉になったりします。

メモを取るとき、聞き取った言葉を全部書かなくてもいいです。また、次のようにするとよいでしょう。

・常識的に、または自分の知識からわかることは書かない
・言葉を省略して書く

例 「コシヒカリ」→「コシ」

◆スクリプト

(1) 男：日本の伝統的な食事と言えばご飯にみそ汁ですね。日本食にはお米は欠かせません。おいしいお米といえば、「コシヒカリ」や「ササニシキ」などが有名ですが、これはお米のブランド名です。ほかにも「ひとめぼれ」や「八十九」「ほほえみ」のように、すぐにはお米とはわからないような、面白い名前のブランドもあります。

(2) 女：お米は日本だけでなく、中国やインドなどアジアのほかの国でも主食です。しかし、国によっては、朝、昼、晩、すべてパンを主食としている国もあります。また、主食にめん類を食べる国もあります。どの国の食事も、主食から多くのエネルギーを得ていることには変わりありません。

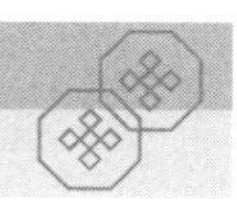

練習1－C

話を聞いてください。「例をまとめる言葉」は何ですか。また、その「例」も書いてください。

（いくつでもよい）

(1) A78 例をまとめる言葉：＿＿＿＿＿＿＿＿＿＿＿＿＿＿＿＿

例：＿＿＿＿＿＿＿＿＿＿＿＿＿＿＿＿＿＿＿＿

(2) A79 例をまとめる言葉：＿＿＿＿＿＿＿＿＿＿＿＿＿＿＿＿

例：＿＿＿＿＿＿＿＿＿＿＿＿＿＿＿＿＿＿＿＿

(3) A80 例をまとめる言葉：＿＿＿＿＿＿＿＿＿＿＿＿＿＿＿＿

例：＿＿＿＿＿＿＿＿＿＿＿＿＿＿＿＿＿＿＿＿

ステップアップ問題1 A81

この問題は話の前に質問はありません。まず話を聞いてください。それから、質問と選択肢を聞いて、1から4の中から、最もよいものを一つ選んでください。

1	2	3	4

2 キーワードを関連づけて、話の構造をつかむ

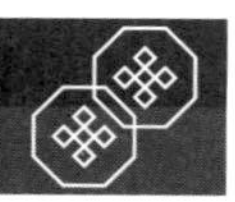

ここでは、キーワード（話の中で大切だと思われる言葉）を関連づけて、話の構造をつかむ練習をします。

☆ 例題2

①話を聞いてください。この話はどのような構造になっていますか。キーワードを関連づけて考えてください。A82

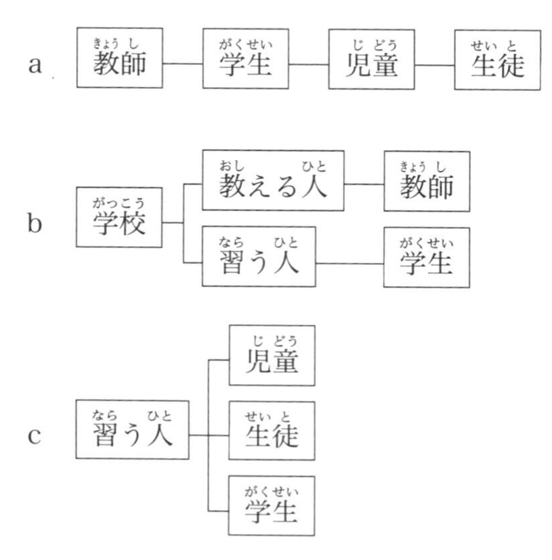

②もう一度話を聞いてください。その後で質問に答えてください。A82 A83

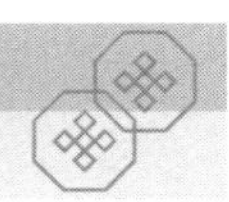

答え ①c　②2

最初に「教える人」「習う人」という対立する２つの言葉を紹介してから、「勉強する立場の人たちを何と言いますか」と聞いているので、「勉強する立場の人＝習う人」が重要なキーワードです。その後に続く「学生」「児童」「生徒」が「習う人」の「呼び方」の例です。したがって、この「習う人の呼び方」が話の中心だと整理できます。このようなキーワードの関係を表しているのはcです。

◆スクリプト

テレビで女の人が話しています。

女：学校っていうと、教える人がいて、習う人たちがいる場を考えますね。教える立場の人は「教師」です。その教師の下で勉強する立場の人たちを何と言いますか。「学生」でしょうか。実はこれは、通っている学校によって違います。通常は年齢で呼び方が変わると言えるでしょう。小学生なら「児童」、中学生、高校生なら「生徒」、専門学校や大学に通う人は「学生」で、「７歳の学生」というのは普通はありません。また、「生徒たちの運動会」といえば、中学校か高校の運動会を意味します。

女の人は何について話していますか。

1　教える人と習う人との関係
2　習う人たちの呼び方
3　習う人の学校での立場

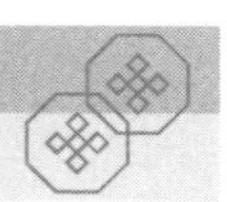

練習2

(1)

①話を聞いてください。この話はどのような構造になっていますか。キーワードを関連づけて考えてください。

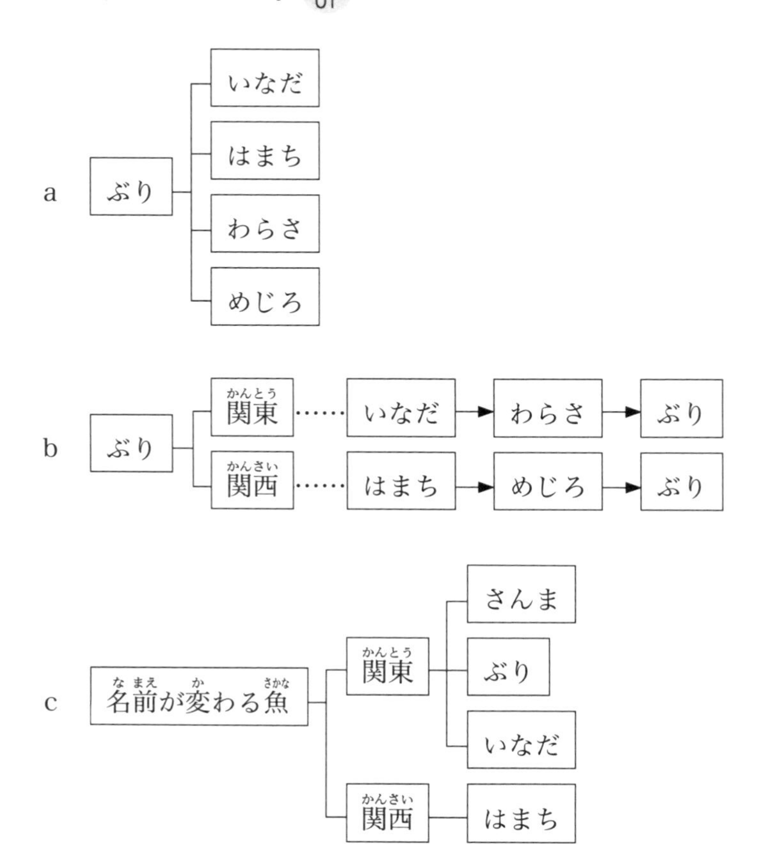

②もう一度話を聞いてください。その後で質問に答えてください。

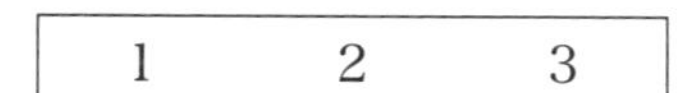

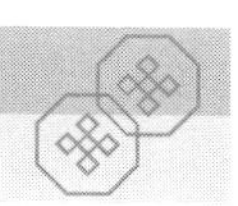

(2)

①話(はなし)を聞(き)いてください。この話(はなし)はどのような構造(こうぞう)になっていますか。キーワードを関連(かんれん)づけて考(かんが)えてください。B03

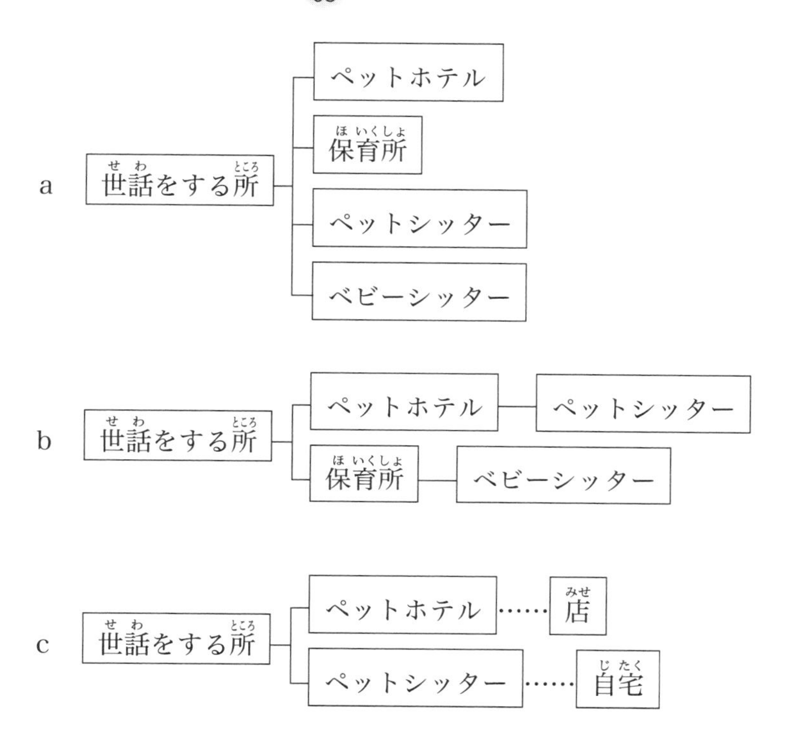

②もう一度(いちど)話(はなし)を聞(き)いてください。その後(あと)で質問(しつもん)に答(こた)えてください。B03 B04

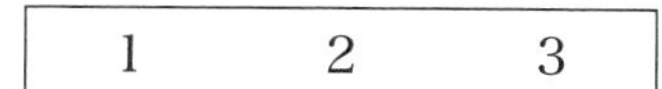

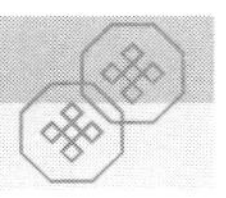

(3)

①話を聞いてください。この話はどのような構造になっていますか。キーワードを関連づけて考えてください。B05

a

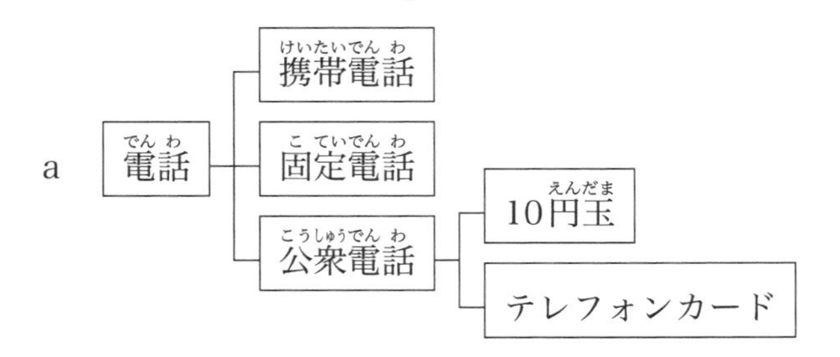

b

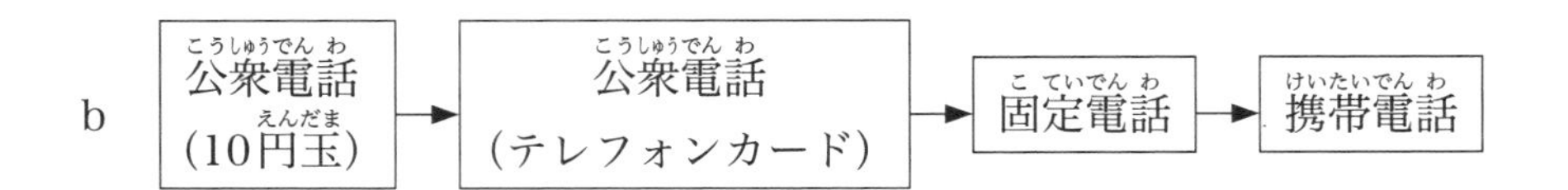

c

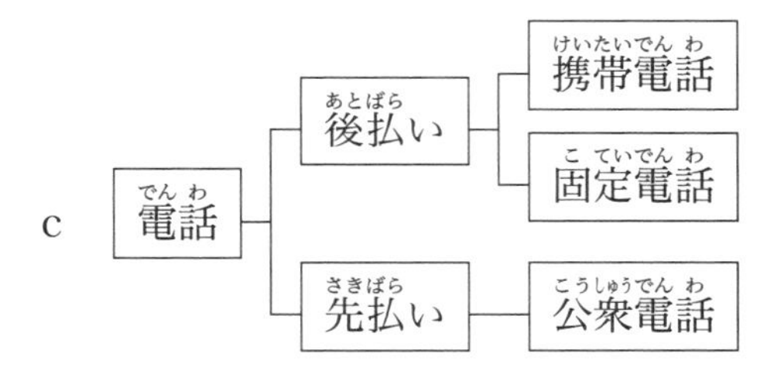

②もう一度話を聞いてください。その後で質問に答えてください。B05 B06

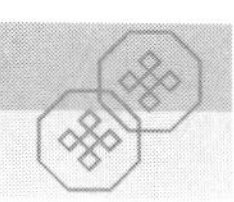

(4)

①話を聞いて、話に出てくるキーワードを書き取ってください。

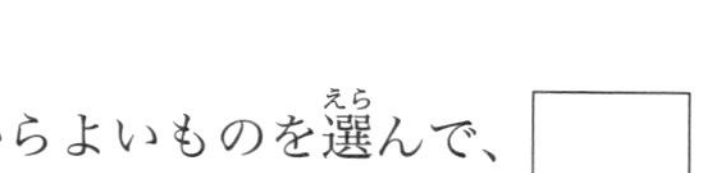

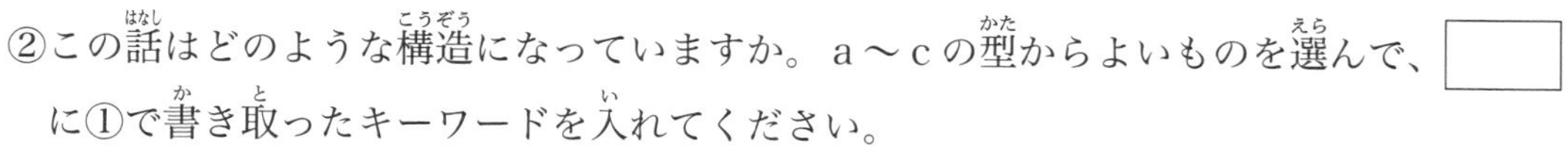

②この話はどのような構造になっていますか。a〜cの型からよいものを選んで、□に①で書き取ったキーワードを入れてください。

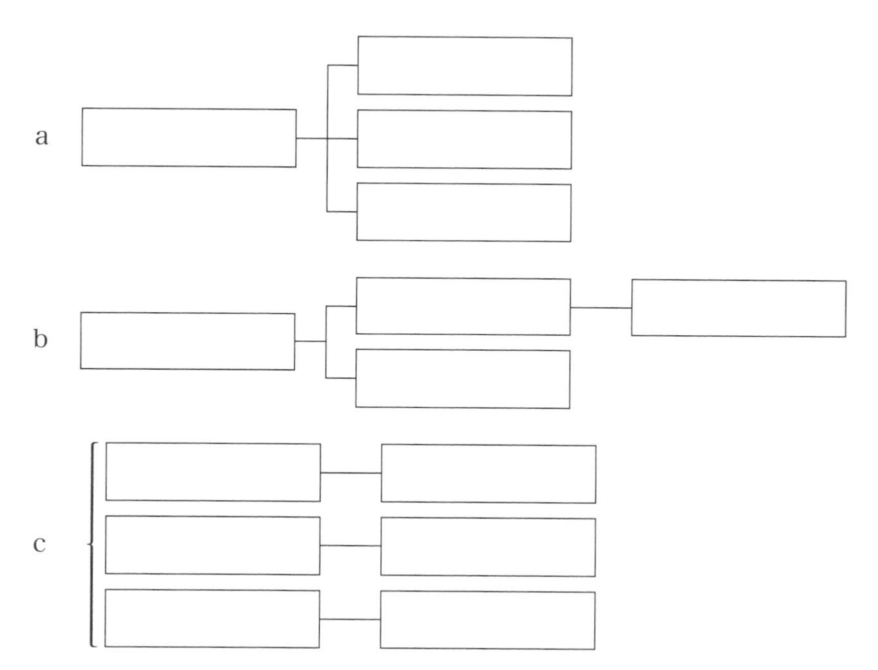

③もう一度話を聞いてください。その後で質問に答えてください。

1	2	3

ステップアップ問題２

この問題は話の前に質問はありません。まず話を聞いてください。それから、質問と選択肢を聞いて、1から4の中から、最もよいものを一つ選んでください。

1	2	3	4

3 文を関連づけて、話の主題をまとめる

ここでは、キーワードよりもさらに大きなまとまり（文）を関連づけて、話の主題をまとめる練習をしましょう。

☆ 例題３

①下の図をよく見てから、話を聞いてください。この話はどのように整理されますか。よいものを選んでください。

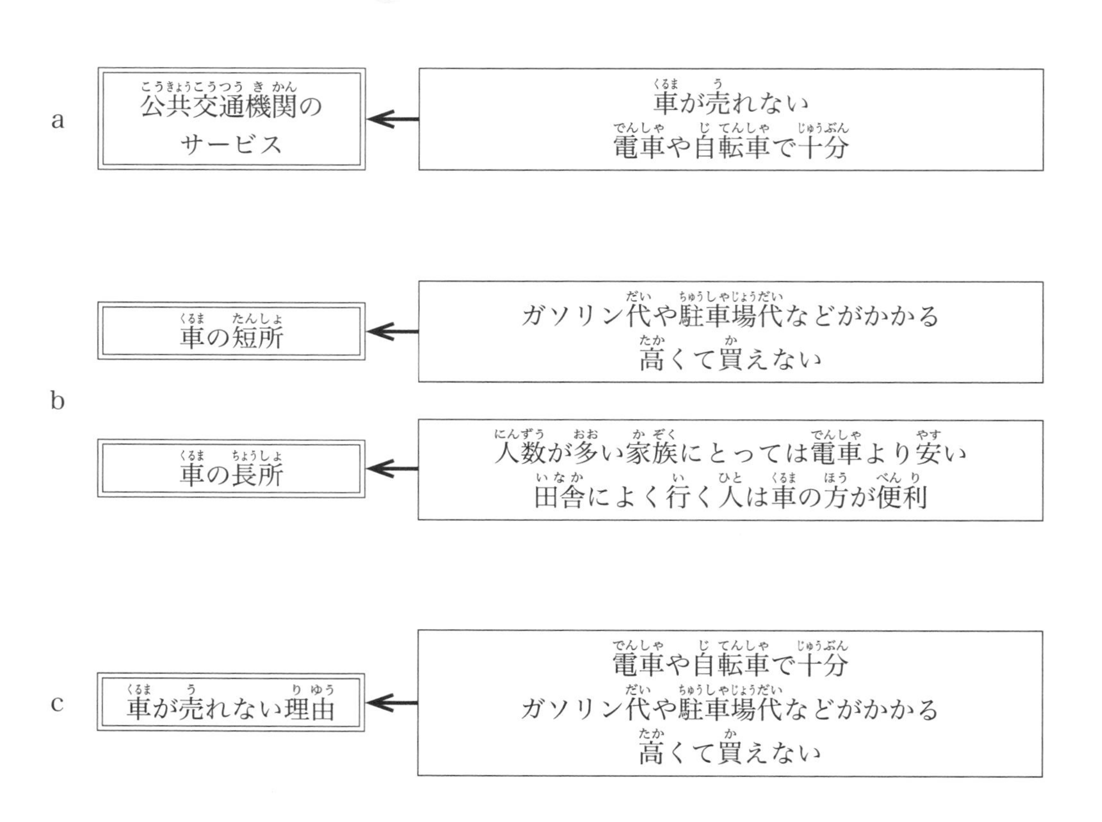

②もう一度話を聞いてください。その後で質問に答えてください。

1	2	3

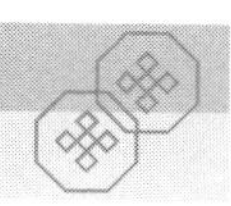

答え ①c　②3

話の最初に「車が売れなくなった」という状況を説明し、「買わない人」の意見として「電車や自転車で十分だから」「ガソリン代や駐車場代などがかかるから」など、理由を表す「から」を使った意見が挙げられています。このことから、この話の主題は「状況（車が売れないこと）の理由」だと考えられます。

◆スクリプト

テレビで男の人が話しています。

男：車が売れなくなったと言われています。買わない人に聞いてみると、「電車や自転車で十分だから」とか、「ガソリン代や駐車場代などがかかるから」という答えが返ってきます。また、「高くて買えない」という人もいます。一方、田舎によく行く人は車の方が便利なので乗っているようですし、人数の多い家族は出かけるとき電車より安く済みます。しかし、子供が減っている日本では、車はこれからますます売れなくなるかもしれません。

男の人は何について話していますか。

1　公共交通機関のサービス
2　車の長所と短所
3　車が売れない理由

練習3

(1)

①話を聞いて、内容を整理してください。B12

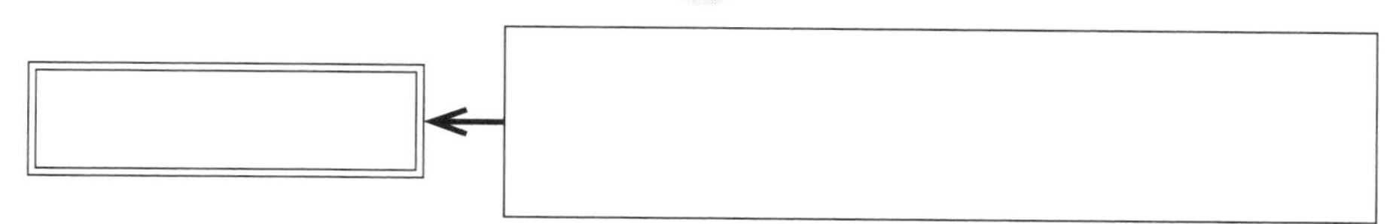

②もう一度話を聞いてください。その後で質問に答えてください。B12 B13

1	2	3

(2)

①話を聞いて、内容を整理してください。

②もう一度話を聞いてください。その後で質問に答えてください。

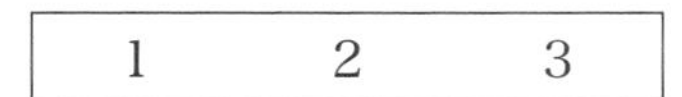

(3)

①話を聞いて、内容を整理してください。

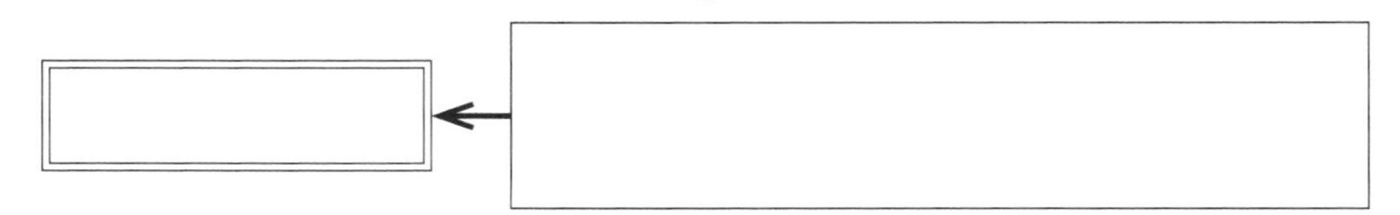

②もう一度話を聞いてください。その後で質問に答えてください。

1	2	3

ステップアップ問題３

この問題は話の前に質問はありません。まず話を聞いてください。それから、質問と選択肢を聞いて、１から４の中から、最もよいものを一つ選んでください。

1	2	3	4

4 表現を手がかりに意見や主張を聞き取る

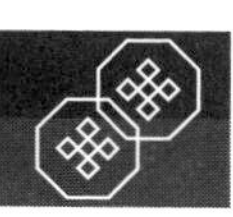

ここでは、話し手の意見や主張を聞き取る練習をします。話し手は自分の意見や主張を、一般的に言われていることやほかの人の考えに対比させて述べることがあります。よくあるパターンは次のようなものです。

一般論・ほかの人の考えなど	→	話し手の意見・主張など
～と言われています	しかし、	～ではないでしょうか
～と言う人もいます	けれども、	～と思われます
～こともあります	～が、	～と考えます

文末表現や接続詞に注意して、話す人の意見を一般論やほかの人の考えと区別する練習をしましょう。

☆ 例題4

話を聞いてください。男の人の意見はaとbのどちらに近いですか。 

a　最近の若者は社会の常識を知らないのでよくない
b　若者が「最近の若者は……」と言われるのは悪くない

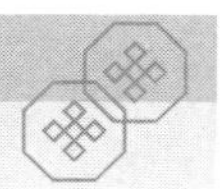

答え b

「最近の若者はダメだ」と言う人がいます」「社会の常識がわかっていないと言われます」は、一般論やほかの人の考えです。話し手の言いたいことは、その後の「しかし」に続く「若者の持つ、古いものを壊して新しいものを作る力が、何度も国を変えてきました。」の部分です。ここでは「〜と思われます」などの話し手の考えを表す表現は使われていませんが、「しかし」という接続詞を使って、一般論などと対比的に述べられていることから話し手の意見や主張だということがわかります。また、最後に「若者が『最近の若者は……』と言われなくなったら、そちらの方が心配ではないでしょうか」という主張が述べられています。整理すると、次のようになります。

一般論・ほかの人の考えなど	話し手の意見・主張
・「最近の若者はダメだ」と言う人がいる ・社会の常識がわかっていないと言われる	・若者の持つ、古いものを壊して新しいものを作る力が何度も国を変えてきた。 ・「最近の若者は……」と言われなくなったら、そちらの方が心配ではないだろうか。

◆スクリプト

男：「最近の若者はダメだ」と言う人がいます。社会の常識がわかっていないと言われます。これは今だけではなく、ずいぶん昔の人たちもそう言っていたようです。しかし、若者の持つ、古いものを壊して新しいものを作る力が、何度も国を変えてきました。若者が「最近の若者は……」と言われなくなったら、そちらの方が心配ではないでしょうか。

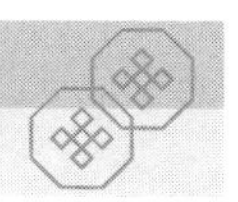

練習4

話を聞いてください。話し手の意見はaとbのどちらに近いですか。

(1) B20　a　「レジ袋要りませんカード」があれば、レジ袋を断る人が増える

b　レジ袋を有料にすれば、レジ袋を断る人が増える

(2) B21　a　手作りこそが愛情である

b　手作りだけが愛情ではない

(3) B22　a　部下や後輩は褒めてばかりだとよくない

b　部下や後輩はできるだけ褒めたほうがよい

ステップアップ問題4　B23

この問題は話の前に質問はありません。まず話を聞いてください。それから、質問と選択肢を聞いて、1から4の中から、最もよいものを一つ選んでください。

1	2	3	4

5 表現を手がかりに意図を考える

ここでは、「話し手の意図（謝罪・相談・お願い・断りなど）」を理解する練習をします。特に、お願いや断りなどの言いにくいことは、日本語では直接言葉で表すことは多くありません。それよりも、自分の状況を説明しながら相手に考えさせる言い方をします。

例えば次のような表現を使って、話題を知らせたり状況を確認したりします。

・～（のこと）なんだけど	（話題を知らせる）
・（質問・相談・お願い）があるんですけど	（意図を知らせる）
・～よね／～だっけ	（状況確認）
・実は／それが	（言いにくいことを言う）

このような表現に注意して、まずは話題をつかみましょう。

☆ 例題５

話を聞いて、①②に答えてください。 

①話題は何ですか。

②女の人の意図は何ですか。

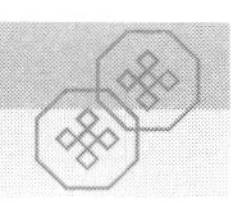

答え ①CD ②CDを貸してほしいというお願い

電話をかけた人は、「ちょっとお願いがあるんだけど」と、電話をかけた意図を伝えてから、「～のCD、買ったって言ってたよね。」と状況を確認しながら「CD」という話題を示しています。そして「みんなで歌うことになって」「ピアノだけの曲も、入ってる？」とも言っていることから、「CDを貸してほしい」という意図が推測できます。このように、「○○を貸してほしい」と直接言っていなくても、話の始めで「お願い」であることと話題をつかみ、それに続く部分から聞き取った内容を関連づけることで、話し手の意図を推測することができます。

◆スクリプト

女の人が友達に電話をかけて話しています。

女：あ、吉田君？　あゆみだけど。今、いい？

男：うん、どうしたの？

女：ちょっとお願いがあるんだけど、前に「桜咲くとき」のCD、買ったって言ってたよね。

男：うん、あるよ。

女：今度、先輩たちを送る会のとき、みんなで歌うことになって。

男：ああ、テニス部の？

女：うん。で、それに、ピアノだけの曲も、入ってる？

男：うん、あるある。カラオケできるよ。あした持ってくね。

女：助かる！　どうもありがとう。じゃ、よろしくね。

練習5

話を聞いて、①②に答えてください。

(1) B25 ①話題は何ですか。

②女の人の意図は何ですか。

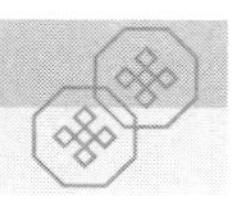

(2) B26 ①話題は何ですか。

②女の人の意図は何ですか。

確認問題 B27

この問題は話の前に質問はありません。まず話を聞いてください。それから、質問と選択肢を聞いて、1から4の中から、最もよいものを一つ選んでください。

(1) B28

1	2	3	4

(2) B29

1	2	3	4

(3) B30

1	2	3	4

Ⅵ 「統合理解」のスキルを学ぶ

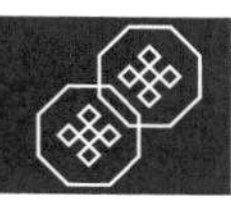

問題形式と内容

まとまりのある話を聞いて、いくつかの情報を比べたりまとめたりして、答えを選びます。以下のような問題形式があります。

1 状況説明文を聞く → 2人以上の人の話を聞く → 質問文と選択肢を聞く → 答えを選ぶ

2 状況説明文を聞く → 2種類の話を聞く → 2つの質問文を聞く → 問題用紙にある選択肢から答えを選ぶ

どちらも質問は話の後に示されます。

1の問題では、選択肢が書いてありません。

2の問題では、選択肢が書いてあります。

統合理解問題では、これまで学んだスキルを組み合わせて使いながら、問題を解いていきます。

1　2人以上の人の話を整理する

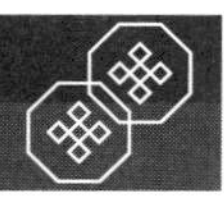

この問題形式では2人以上の人の話を整理して聞きますが、最初に質問がないので、話を聞きながら質問になりそうな点を考えていかなければなりません。そこで、まず「何について話しているか」をつかみます。そして、質問になりそうな点を考えながら大事な情報を聞き取ります。そのとき、出された意見が賛成か反対かに注意しながら話を整理するとよいでしょう。

・何について話しているか
・出された意見の整理（賛成か反対か）

☆ 例題1

①話を聞いて、まとめましょう。（B31）

ア．何について話していますか。

イ．3人はどんな意見を言っていますか。下の表にまとめてください。

男の人1（子供）	女の人（お母さん）	男の人2（お父さん）

②次に、質問と選択肢を聞いて、最もよいものを選んでください。（B32）

1	2	3	4

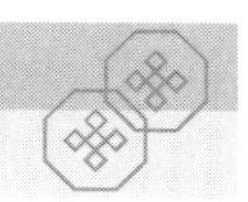

答え ①ア．テレビを買い換えるかどうか　イ．（下の表）　②4

男の人1（子供）	女の人（お母さん）	男の人2（お父さん）
買い換えよう →	古い →	まだ見られる
いいのが出ている		
録画できるのもある →		録画は要らない
	修理もお金がかかる	
	新しいのは電気代が安い・環境に優しい →	今のテレビの電気代もたいしたことはない
	映らなくなったら考える	捨てるのにお金が要る

「テレビ」について「買い換えよう」と言った後、それについて賛成する意見と反対する意見が次々と出ているので、「テレビを買い換えるかどうか」がこの話の中心だと考えられます（ア）。出てきた意見は表のように整理できます（イ）。お父さんの最後の反対意見に対して、さらに反対する意見は出ていません。また、最後に「全然映らなくなったら考えようか」と言っていることから、「今のテレビをこのまま使う」という考えがわかります。

◆スクリプト

家族3人がテレビについて話しています。

男1：あー、まただ。ね、テレビ、またおかしいよ。そろそろ買い換えようよ。

女　：ああ、最近、ときどき線が入るのよね。もう古いからねえ。

男2：古くても、まだ見られるよ。

男1：最近はいいのが出てるんだよね。1台で録画もできるものとか。

男2：おれは録画は要らないよ。

女　：そうね、お父さんは使わないわね。でも、修理するのもお金がかかるでしょう？　買い換えてもいいんじゃない？　新しいのは電気代も安くて、環境に優しいわよ。

男2：テレビの電気代なんてたいしたことはないじゃないか。捨てるにもお金が要るし。

男1：まあね。

女　：じゃ、そのうち全然映らなくなったら考えようか。

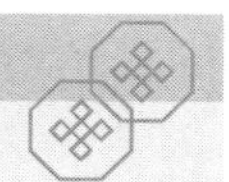

テレビについてどうすることにしましたか。

1　録画もできるテレビに買い換える

2　電気代の安いテレビに買い換える

3　今のテレビを修理する

4　今のテレビをこのまま使う

練習1

(1)

①話を聞いて、まとめましょう。B33

ア．何について話していますか。

イ．3人はどんな意見を言っていますか。下の表にまとめてください。

女の人1	男の人	女の人2

②次に、質問と選択肢を聞いて、最もよいものを選んでください。B34

1	2	3	4

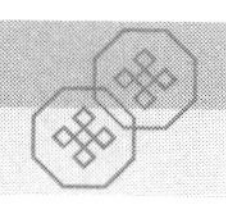

(2)

①話を聞いて、まとめましょう。B35

ア．何について話していますか。

イ．３人はどんな意見を言っていますか。下の表にまとめてください。

男の人１（お父さん）	女の人（お母さん）	男の人２（子供）

②次に、質問と選択肢を聞いて、最もよいものを選んでください。

1	2	3	4

2　2種類の話を整理する

この問題形式では、2種類の話(例：あることについての説明＋それについての会話)を整理して聞きます。最初の話では、選択肢を見ながら大切な点を聞き取ってメモします。その後の会話では、最初にメモした情報について、2人の意見の違いなどを聞き取ります。

☆ 例題2

①最初の話を聞いて、選択肢の横に下から当てはまるものを選んで書いてください。 

1　Aセット

2　Bセット

3　Cセット

4　Dセット

パスタ	ピザ	飲み物	サラダ
デザート	肉か魚の料理	パンかライス	

②次に2人の会話と質問を聞いて、上の1から4の中から、最もよいものを選んでください。

質問1　| 1 | 2 | 3 | 4 |

質問2　| 1 | 2 | 3 | 4 |

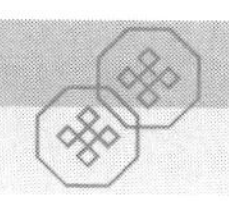

答え ①　1　Aセット：パスタ、飲み物
　2　Bセット：ピザ、飲み物
　3　Cセット：パスタかピザ、飲み物、サラダ、デザート
　4　Dセット：肉か魚の料理、パンかライス、サラダ、デザート、飲み物
②質問1　4　　質問2　3

男の人は「ライス」「肉」と言っているので、「Dセット」です。女の人は「パスタがいい」と言っているので「Aセット」か「Cセット」で、「デザート」の話の後、「サラダも付いている」ことを確認してから「これにしてみよう」と言っているので、「Cセット」です。

◆スクリプト

レストランで店員がメニューを説明しています。

男1：本日のランチは次の4種類になっております。Aセットはパスタ、Bセットはピザで、それぞれお飲み物が付いております。Cセットは、AセットかBセットのどちらかに、食前のサラダと食後のデザートが付いたものです。パスタかピザをお選びください。Dセットは、肉か魚のお料理と、それからパンかライスを選んでいただいて、こちらもサラダとデザート、お飲み物が付いております。

女　：どれにしようかな。決まった？
男2：今日はたくさん食べたい気分なんだよね。ちょっと高いけど、今日はこれ。ライスにしよう。
女　：お肉とお魚が選べるけど、どっちにする？
男2：やっぱり肉だな。
女　：わたしはパスタがいいな。Aセットは850円なのね。
男2：あれ？　デザートはいいの？
女　：うーん。デザートが付くと、1,200円か。アイスクリームかケーキが選べるんだ。
男2：ここのケーキ、おいしいよ。それで僕はいつもデザート付きのにしてるんだ。
女　：ふーん。サラダも付いてるんだっけ。じゃ、これにしてみよう。
質問1　男の人はどのセットにしますか。
質問2　女の人はどのセットにしますか。

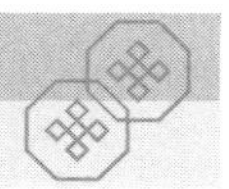

練習(れんしゅう)2

(1)

①最初(さいしょ)の話(はなし)を聞(き)いて、選択肢(せんたくし)の横(よこ)に下(した)から当(あ)てはまるものを選(えら)んで書(か)いてください。 

1　Aグループ

2　Bグループ

3　Cグループ

4　Dグループ

バッグ	布(ぬの)ぞうり	かご	なべ敷(し)き
広告(こうこく)の紙(かみ)	古(ふる)い布(ぬの)	新聞紙(しんぶんし)	葉書(はがき)

②次(つぎ)に2人(ふたり)の会話(かいわ)と質問(しつもん)を聞(き)いて、上(うえ)の1から4の中(なか)から、最(もっと)もよいものを選(えら)んでください。

質問(しつもん)1	1	2	3	4
質問(しつもん)2	1	2	3	4

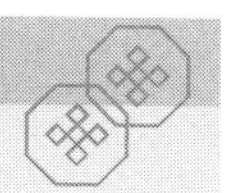

(2)

①最初の話を聞いて、選択肢の横にメモを書いてください。

1　A会場

2　B会場

3　C会場

4　D会場

②次に2人の会話と質問を聞いて、上の1から4の中から、最もよいものを選んでください。

質問1	1	2	3	4
質問2	1	2	3	4

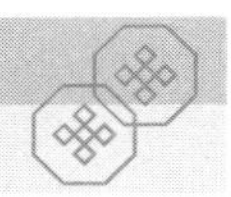

確認問題

(1) B43 まず話を聞いてください。それから、質問と選択肢を聞いて、1から4の中から、最もよいものを一つ選んでください。

1	2	3	4

(2) B44 まず話を聞いてください。それから、二つの質問を聞いて、それぞれ1から4の中から、最もよいものを一つ選んでください。

質問1
1 ありがとうセット
2 しあわせセット
3 ふんわりセット
4 うきうきセット

質問2
1 ありがとうセット
2 しあわせセット
3 ふんわりセット
4 うきうきセット

模擬試験

問題１ B45

問題１では、まず質問を聞いてください。それから話を聞いて、問題用紙の１から４の中から、最もよいものを一つ選んでください。

１番 B46

ア　配付資料

イ　アンケート用紙

ウ　ペン

エ　名札

オ　シール

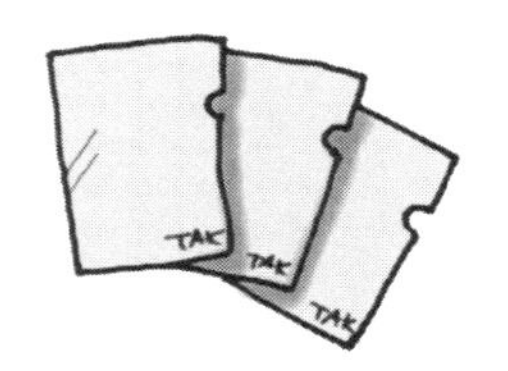

カ　ファイル

1　ア　イ　ウ　エ
2　ア　ウ　エ　カ
3　イ　ウ　エ
4　イ　ウ　オ

２番 B47

1　場所が変わること
2　駐車場がないこと
3　始まる時間と駐車場がないこと
4　終わる時間と場所が変わること

3番 B48

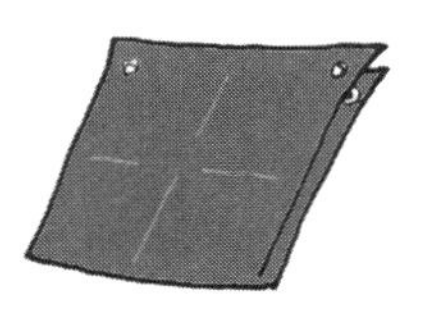

ア　シート

イ　細かいお金

ウ　紙

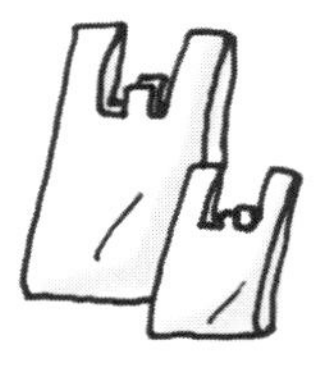

エ　レジ袋

オ　紙袋

1　ア　イ
2　ア　イ　オ
3　ア　ウ
4　イ　オ

4番 B49

1　駅で荷物を預けて、バスに乗る
2　ホテルに荷物を預けて、バスに乗る
3　駅で荷物を預けて、一人で店を見る
4　ホテルに荷物を預けて、一人で店を見る

5番 B50

1　興味のある会社を訪問する
2　先輩に会って話を聞く
3　会社訪問できるかを問い合わせる
4　したいことを整理する

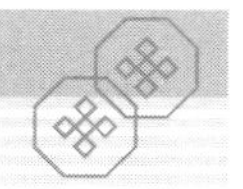

問題２

問題２では、まず質問を聞いてください。そのあと、問題用紙の選択肢を読んでください。読む時間があります。それから話を聞いて、問題用紙の１から４の中から、最もよいものを一つ選んでください。

１番

1　買った本が面白くなかったから
2　本を書いた小説家がひどい人だったから
3　待っていたのにサインがもらえなかったから
4　本の内容がわかってしまったから

２番

1　日本語でたくさん話すこと
2　意見を言うときの表現を練習すること
3　冷静に意見を言う方法を学ぶこと
4　意見文の書き方を練習すること

３番

1　今日、台風の情報を見て決める
2　あした、台風の情報を見て決める
3　あさって、警報が出ているかどうかで決める
4　当日、雨の降り方を見て決める

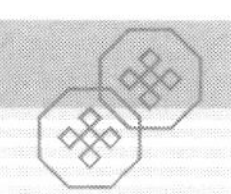

4番 B55

1 会議があることを忘れていたから

2 お客さんとの打ち合わせがあるから

3 電車が止まって会社に戻れないから

4 商品をもらっていないから

5番 B56

1 娘のためにとっておく

2 ほかの人に使ってもらう

3 自分でほかのものに作り変える

4 専門の店で作り直してもらう

6番 B57

1 知らなかったから

2 お金がかかるから

3 手続きが面倒だから

4 健康に不安がないから

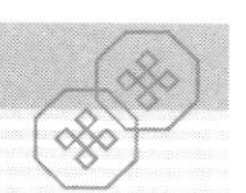

問題3

問題3は、全体としてどんな内容かを聞く問題です。話の前に質問はありません。まず話を聞いてください。それから、質問と選択肢を聞いて、1から4の中から、最もよいものを一つ選んでください。

1番 B59

1	2	3	4

2番 B60

1	2	3	4

3番 B61

1	2	3	4

4番 B62

1	2	3	4

5番 B63

1	2	3	4

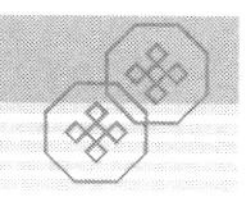

問題4

問題4では、まず文を聞いてください。それから、それに対する返事を聞いて、1から3の中から、最も よいものを一つ選んでください。

1番	1	2	3
2番	1	2	3
3番	1	2	3
4番	1	2	3
5番	1	2	3
6番	1	2	3
7番	1	2	3
8番	1	2	3
9番	1	2	3
10番	1	2	3
11番	1	2	3
12番	1	2	3

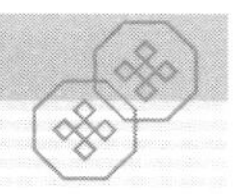

問題5

問題5では、長めの話を聞きます。

1番

まず話を聞いてください。それから、質問と選択肢を聞いて、1から4の中から、最もよいものを一つ選んでください。

1	2	3	4

2番

まず話を聞いてください。それから、二つの質問を聞いて、それぞれ問題用紙の1から4の中から、最もよいものを一つ選んでください。

質問1

1　1号車
2　2号車
3　3号車
4　4号車

質問2

1　1号車
2　2号車
3　3号車
4　4号車

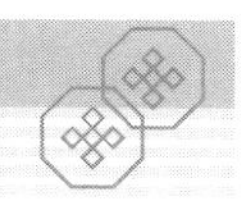

3番 B80

まず、話を聞いてください。それから、二つの質問を聞いて、それぞれ問題用紙の１から４の中から、最も よいものを一つ選んでください。

質問１

1　Aグループ
2　Bグループ
3　Cグループ
4　Dグループ

質問２

1　Aグループ
2　Bグループ
3　Cグループ
4　Dグループ

著者
中村かおり　　拓殖大学外国語学部　准教授
福島佐知　　拓殖大学別科日本語教育課程、亜細亜大学全学共通科目担当、
　　東京外国語大学留学生日本語教育センター　非常勤講師
友松悦子　　元拓殖大学留学生別科　非常勤講師

イラスト
柴野和香

装丁・本文デザイン
糟谷一穂

CD 吹き込み
今井耕二
岡本芳子
河井春香
北大輔

新完全マスター聴解　日本語能力試験 N2

2011 年 6 月 8 日　初版第 1 刷発行
2018 年 1 月 9 日　第 7 刷発行

著　者　中村かおり　福島佐知　友松悦子
発行者　藤嵜政子
発　行　株式会社　スリーエーネットワーク
〒 102-0083　東京都千代田区麹町 3 丁目 4 番
トラスティ麹町ビル 2F
電話　営業　03（5275）2722
　　　編集　03（5275）2725
http://www.3anet.co.jp/
印　刷　萩原印刷株式会社

ISBN978-4-88319-567-1　C0081

新完全マスター聴解
日本語能力試験 N2

解答とスクリプト

スリーエーネットワーク

Ⅰ　音声の特徴に慣れる

練習1－1　※○が答え

(例)　病院　a　びょうにん（病人）　b　びよういん（美容院）　ⓒ　びょういん

(1)　電球　ⓐ　でんきゅう　b　れんきゅう（連休）　c　ねんきゅう（年休）

(2)　次　a　つき（月）　b　すき（好き）　ⓒ　つぎ

(3)　濃い　a　こうい（行為）　ⓑ　こい　c　コイン

(4)　女性　a　ぞうぜい（増税）　b　じょうせい（情勢）　ⓒ　じょせい

(5)　ショック　ⓐ　ショック　b　チョーク　c　ジョーク

(6)　問い　a　どうい（同意）　b　とおい（遠い）　ⓒ　とい

(7)　瞬間　a　しゅかん（主観）　ⓑ　しゅんかん　c　しゅうかん（習慣）

(8)　かに　a　かぎ（鍵）　b　かり（借り）　ⓒ　かに

(9)　市場　a　しんじょう（心情）　ⓑ　しじょう　c　じじょう（事情）

(10)　一致　ⓐ　いっち　b　いち（一）　c　いじ（意地）

練習1－2　※答えは（　）の中

(例)　昨日、美容院へ行きました。　（b）

(1)　選手の話です。　（a）

(2)　真剣なんだから、黙って。　（b）

(3)　わかっていたんですか。　（b）

(4)　3位になりました。　（b）

(5)　ちょっと足してください。　（b）

(6)　実はすごく言いたかったんです。　（a）

(7)　あれ、着ようかな。　（b）

(8)　天気はよくないそうです。　（a）

(9)　これ、今日中に送りましょう。　（b）

(10)　お客さんが急に来ました。　（a）

練習1－3　※○が答え

(例)　男：何人ですか。

女：ⓐ　3人です。　b　3時です。　c　3位です。

(1)　男：座ってもいいですか。

女：a　あ、吸わないでください。　ⓑ　あ、座らないでください。　c　あ、触らないでください。

(2) 男：お昼、何にしますか。

女：a　勉強します。　b　12時にします。　ⓒ　サンドイッチにします。

(3) 男：これ、聞いてみた？

女：a　ええ、いいシャツですね。　ⓑ　ええ、いい歌ですね。　c　ええ、いいはさみですね。

(4) 男：ちょっと、待っててくれる？

女：ⓐ　うん、待ってるね。　b　うん、持ってるよ。　c　じゃ、持ってくよ。

(5) 男：絶対、みんないてくださいね。

女：a　ええ、見ませんよ。　b　ええ、行きますよ。　ⓒ　ええ、いますよ。

(6) 男：さあ、やんなくっちゃ。

女：a　うん、嫌だね。　b　うん、なかった。　ⓒ　うん、やろう。

練習２－１　※答えは（　）の中

A10 (例) まだ開いてるよ。　（開いているよ）

(1) 大変。この書類出さなくちゃ。　（出さなくては）

(2) お茶、飲んでく？　（お茶、飲んでいく）

(3) さっき、課長に怒られちゃって。　（怒られてしまって）

(4) さっきの話、あんまりよくわかんなかった。　（あまりよくわからなかった）

(5) これ、さっさと片づけちゃおう。　（片づけてしまおう）

(6) チケット、持ってる？　（持っている）

(7) これ、手伝ってくんない？　（手伝ってくれない）

(8) この荷物、ここに置いとくよ。　（置いておくよ）

(9) これ、できるだけ早く済ませちゃいたいね。　（済ませてしまいたいね）

(10) 今から会社に行かなきゃなんないんだ。　（行かなければならないんだ）

練習２－２　※○が答え

A11 (例) 女：早く行かなきゃ。

男：ⓐ　うん、行こう。　b　うん、行ったよ。　c　うん、行かないよ。

(1) 女：走んないと間に合わないよ。

男：a　うん、すぐするよ。　b　大丈夫、知ってるよ。　ⓒ　ほんとだ、走ろう。

(2) 女：ちょっと、そこに立ってて。

男：a　うん、立つって。　ⓑ　うん、立ってるよ。　c　うん、立てるよ。

(3) 女：昨日、はっといたんだけど。

男：ⓐ　その壁に？　b　ほっといたの？　c　どこで買ったの？

(4) 女：あれ、もうやっちゃった？

男：a　うん、もうやんだよ。　b　うん、もうやめたよ。　ⓒ　うん、もう終わったよ。

(5) 女：もっと薄くなきゃだめでしょ。

男：ⓐ　そうだね、これは濃いね。　b　わかった、作るよ。　c　そうだね、これじゃ少ないね。

(6) 女：今日、歩いてくの？

男：ⓐ　ええ、歩いて行きます。　b　ええ、歩いて来ました。　c　ええ、歩いています。

Ⅱ　「即時応答」のスキルを学ぶ

練習１－Ａ　※○が答え

A12 (例) 男：用意してくれませんか。

㊛：ええ、いいですよ。

(1) ㊚：予約しときましょうか。

女：ああ、はい。

(2) ㊚：あの、こちら、使わせていただきたいんですが。

女：ええ、構いませんよ。

(3) 男：これ、試してみたらどう？

㊛：うん、じゃ。

(4) 男：これ、直してくれると助かるんですが。

㊛：わかりました。

(5) ㊚：ここに置いといてもいい？

女：ああ、うん。

(6) 男：あ、田中さん、鈴木さんに電話してほしいんだけど。

㊛：ああ、はい。

練習１－Ｂ　※答えは（　）の中

A14 (例)　これ、いいんじゃない？　（いい）

(1)　安くないんじゃないかな。　（安くない）

(2)　話せるんじゃないかと思います。　（話せる）

(3)　便利じゃないんだね。　（便利ではない）

(4)　田中さんじゃないと思います。　（田中さんではない）

(5)　これじゃないんじゃない？　（これではない）

練習1－C　※答えは（　）の中

A15 (例) 遅刻したんだよ。　（遅刻した）

(1) 負けそうになったよ。　（負けていない）

(2) 間に合って、よかった。　（間に合った）

(3) 僕も参加したかったなあ。　（参加していない）

(4) ハワイに行ったそうだよ。　（行った）

(5) 今、電話しようと思ってたんだ。　（電話をかけていない）

(6) 頼まれそうになっちゃった。　（頼まれていない）

(7) ポケットに入れたつもりだったんだけど。　（入れていない）

(8) 出かけたところなんですが。　（出かけた）

(9) 座ろうとしたら、ほら、ここ。　（座っていない）

(10) なくすところでした。　（なくしていない）

練習1－D　※答えは（　）の中

A18 (1) あれ？　ここにいたの？　（聞いている文）

(2) さっき、田中さんに会ったの。　（報告している文）

(3) 今日、宿題、ないんだ。　（報告している文）

(4) このニュース、知らなかったんだ。　（確認している文）

(5) これ、しまっとく。　（報告している文）

(6) 先にやっとく？　（聞いている文）

(7) このゲームはやらない。　（報告している文）

(8) あそこの人に聞かない？　（聞いている文）

(9) リーさん、今日は来ないって。　（報告している文）

(10) あの仕事、まだやってないって？　（聞いている文）

練習1－E　※答えは（　）の中

A20 (1) 試験、来週だっけ。　（確認）

(2) この本、読んじゃった。　（報告）

(3) 田中さん、今日は来ないって。　（報告）

(4) リサさんが会社、辞めちゃうなんて。　（感想）

(5) この袋、要らないの？　（確認）

(6) これ、あっちに持っていきましょうか。　（申し出）

(7) ほら、もう、帰んなくちゃ。　（指示）

(8) ねえ、早く行かないと。　（指示）

(9) もっと運動したらどう？ (提案)

(10) 先日の写真、後でお見せしましょう。 (申し出)

練習2－A ※○が答え

(例) 女：この本、読みましたか。 (質問)

男：a いいですね。読みましょう。

ⓑ ええ、先週、読みました。 (肯定)

(1) 女：そんなに押さないでください。 (苦情)

男：a え？ そうなんですか。

ⓑ あ、どうもすみません。 (謝り)

(2) 女：少し休憩しませんか。 (誘い)

男：a 少し休んだらどうですか。

ⓑ じゃ、休みましょう。 (受け)

(3) 女：これ見ておいていただけますか。 (依頼)

男：ⓐ はい、明日までに。 (受け)

b そうですか。それは助かります。

(4) 女：これ、どう使ったらいいんでしょうか。 (質問)

男：a どうぞ使ってください。

ⓑ このボタンを押してから使ってください。 (情報提示)

(5) 女：リーさん、国に帰っちゃったんだって。 (報告)

男：a じゃ、帰りましょうか。

ⓑ えー！ ほんとに？ (驚き)

(6) 女：お口に合うかどうか……。 (勧め)

男：ⓐ あ、どうぞお構いなく。 (遠慮)

b どうも、おかげさまで。

練習2－B ※答えは（ ）の中

(例) 男：これ食べませんか。

女：おなかがいっぱいなんです。 (×)

(1) 男：そろそろ行きましょうか。

女：あ、もう4時ですね。 (○)

(2) 男：早くホテル、予約しないと。

女：ああ、夏休みは込むよね。 (○)

(3) 男：買い替えたほうがいいんじゃないかな。

女：まだ新しいでしょう？　(×)

(4) 男：これ、いいんじゃない？

女：うーん、ちょっと子供っぽいな。　(×)

(5) 男：この間の店、またどう？

女：あそこは悪くなかったね。　(○)

(6) 男：このカメラ、あした借りてもいいかな。

女：仕事で必要なんですよ。　(×)

練習2－C　※○が答え

A24 (1) 女：この店、おいしいですよ。

男：a　あ、そうですか。

ⓑ　えー、そうですか。

(2) 女：忘年会、水曜日はいかがですか。

男：a　あ、水曜日ですか。

ⓑ　あー、水曜日ですかー。

(3) 男：今日は暑いね。

女：ⓐ　ん？　暑い？

b　うん、暑い。

(4) 女：このリボン、付けたほうがいいかな。

男：ⓐ　うーん、それはいいよ。

b　うん、いいんじゃない？

(5) 男：そろそろ、出かける？

女：ⓐ　ん？　もう？

b　うん、行こう。

(6) 男：この色、どうかな。

女：a　ああ、水色ね。

ⓑ　あー、水色ねえ。

確認問題

答え (1) 3　(2) 3　(3) 1　(4) 2

A25 (1) 女：コーヒーしかないんですけど、よろしかったら……。

男：1　あ、よろしいです。

2　ええ、おかげさまで。

3　どうぞ、お構いなく。

(2) 男：この仕事、わたしにやらせていただけないでしょうか。

女：1　あ、そうですか。じゃ、やっておきます。

2　あ、いいですね。じゃ、さしあげます。

3　わかりました。じゃ、お願いしますね。

(3) 女：行く前に、予約の電話、しといたほうがいいんじゃない？

男：1　うーん、そんなに込んでないと思うよ。

2　そうだね、要らないね。

3　うん、しとかないんだって。

(4) 男：折り返しお電話いただけると大変助かるんですが。

女：1　では、お電話お待ちいたします。

2　では、ご連絡いたします。

3　では、よろしくお願いいたします。

Ⅲ 「課題理解」のスキルを学ぶ

練習1－1

答え (1)同意しない　(2)同意しない　(3)同意する　(4)同意しない

A27 (1) 女：この資料、コピーしておきましょうか。

男：それはいいよ。

(2) 女：このピンクのシャツ、かわいいじゃない。着てみたら？

男：それはちょっと……。

(3) 女：今度の旅行、北海道にしない？

男：それがいいね。

(4) 女：そろそろ引っ越そうよ。子供たちも大きくなったし、荷物も増えたし。

男：それはそうだけど。

練習1－2

(1) **答え** 毛布、温かい飲み物、時計

A29 先生が試験のときに必要な物について話しています。女の人はこれから何を準備しますか。

男：試験、あしただっけ。持っていく物、もう準備した？

女：はい。受験票と筆記用具はかばんに入れてあります。ほかに何か必要な物、ありますか。

男：うーん、あの試験会場、広くて寒いから、薄い毛布とか、座布団とかあったほうがいいよ。

女：毛布なら家にあると思います。それを持っていけばいいかな。

男：そうだね。あ、飲み物も。温かい物の方がいいから、ペットボトルじゃない方がいいね。すぐ冷たくなっちゃうから。

女：はい。飲み物……と。

男：あ、時計は？　いつもどうしてる？

女：いつもは携帯電話の時計を使ってるんですけど。

男：それはまずいね。試験中は使えないんだよ。

女：あ、そうか。わかりました。

(2) **答え** いすとテーブルをふく、飲み物を買う、花を受け取りに行く

A30 会社で男の人と女の人が送別会の準備について話しています。２人はこれから何をしますか。

男：鈴木さんの送別会、６時からだよね。手伝うことある？　２階の２Ａの部屋だって聞いたけど。

女：うん、あと１時間ちょっとだね。じゃ、あの部屋ふだん使ってないから、いすとテーブルざっとふいて……。

男：そうだね。食べ物や飲み物とかは？　リストがあれば今から買ってくるけど。

女：助かる。これ、飲み物のリストね。よろしく。料理はもう配達してもらったから。それと、紙皿、紙コップ、はしなんかは持ってきたんだけど、ほかに、まだ何か足りないものある？

男：鈴木さんに記念品あげるんじゃなかったっけ。

女：それはご心配なく。あ、いけない！　お花、受け取りに行かなきゃ。駅前の花屋さんに注文だけしてあるんだ。

(3) **答え** 本棚を買う、コーヒーを買う

A31 家で男の人と女の人が引っ越しの後で話しています。男の人は今日これから何をしますか。

男：さてと。引っ越しも終わったし、あとは荷物の整理だけだな。

女：やだ。ほかにも区役所行ったり、必要な物を買ったりしないと。

男：区役所はあしたでもいいだろう？　あ、電気やガスの人来るの、今日だっけ。おれ、来るまで待ってようか。

女：いいよ。わたし、荷物を整理しながら、待ってるから。それより本棚、買ってきてよ。前に一緒に決めたの、メモしてあるから。はい、これ、お願いね。

男：あの組み立て式のだよね。お昼ご飯、どうする？　お弁当か何か買ってこようか。

女：あ、さっきおそばの出前頼んじゃった。でも、冷たいコーヒー飲みたいな。

男：うん、わかった。じゃ、行ってきます。

練習２

(1) **答え** ティッシュで血をふき取る

家で女の人と男の人が話しています。女の人はこの後まず、何をすればいいですか。

女：わあ、こんなに細かく割れちゃって、どうしよう。あ、痛い！　血が出ちゃった。

男：落ち着いて、落ち着いて。割れたガラスをそのまま手で触るからけがをするんだよ。ガラスを片づけるのは後回し。それよりまずは、血が出ている指にばんそうこうをはって。その前にティッシュで血をふき取らないと。はい、ティッシュとばんそうこう。片づけるときはゴムの手袋しないとだめだよ。

(2) **答え** 服を着替える

家で女の人と男の人が話しています。男の人はこの後まず、何をしますか。

女：あ、はい、わかりました。じゃ、お待ちしています。大変。田中さんが今からうちに来るって。

男：ほんと？　じゃ、急いで玄関の掃除をして……と。

女：それより昼ご飯の後片づけしてよ。あれ！　まだパジャマのままじゃない！

男：ああ、そうだった。えーと、お菓子でも買ってこようか。

女：果物があるから大丈夫よ。着替えたら後片づけね。わたしはテレビの周りを片づける。

男：オーケー！

(3) **答え** 課長に話す

会社で女の人と男の人が話しています。男の人はこの後まず、何をしますか。

女：ねえ、わたしたちが作るパンフレットって何か素人っぽいよね。パンフレットの作り方、一度プロの人から講義してもらわない？

男：賛成。僕、いい人知ってる。出版社の人。

女：頼んでみてくれる？　基礎編と応用編と、２回ぐらい講義してもらえればいいよね。

男：うん。あ、どうせだったら社内のみんなにも声をかけて、みんなで聞いたらいいんじゃない？

女：じゃ、お知らせを作って呼びかけてみよっか。

男：ま、とにかく課長に話して、許可をもらわないとね。

女：そうだね。お願いできる？　課長がオーケーだったら、正式にその人に依頼しようね。

練習3

(1) **答え** ①ア．b　イ．c　②2

A37 美術館で案内の放送を聞いています。映画を見たい人はどうしますか。

女：本日は現代美術館にお越しいただき、ありがとうございます。本日のイベントのご案内です。午後２時から、ルネ特別展を記念して、横田忠夫氏を迎えての記念講演を行います。また、その後４時から、映画「ルネの庭」を上映します。上映時間は20分です。会場は、記念講演は２階ホール、映画上映は３階メディアルームとなっております。また、１階ロビーのミュージアムショップでは、ルネの特別記念品も販売しておりますので、どうぞご利用ください。

(2) **答え** ①ア．8月4日　イ．b　ウ．b　②3

A38 テニスコートの自動予約システムに電話をしています。あなたは８月４日にテニスコートを借りたいと思っています。その日の空き状況を知りたいとき、どの番号を押せばいいですか。

女：こちらは広中テニスクラブ、自動予約センターです。案内に従って、番号を押してください。テニスコートの予約は１を、空き状況は２を、予約のキャンセルは３を押し、続けて希望日を４桁の数字で押してください。例えば５月11日は、０５１１を押します。

練習4

(1) **答え** ①男の人：毎日午前中、火曜日、金曜日
女の人：毎日の夜、月曜日、水曜日（午前中、午後）

②4

A40 女の人と男の人が映画を見る約束をします。２人は来週のいつ映画を見ますか。

女：ねえ、前に見たいって言ってた映画、始まったんだけど、来週、見に行かない？　時間は、10時からと２時からと６時からだって。夜はわたし、毎日バイトがあるんだ。

男：じゃ、早い時間の方がいいね。僕は午前中は毎日授業。それと、火曜日と金曜日は予定入ってるんだ。月曜日はどう？

女：あー、月曜日はちょっと……。水曜だったら授業が昼までだから、午後なら大丈夫かな。あ、ごめん、この日の午後は、先生と会う約束をしてるんだった。じゃ……。

(2) **答え** ①ア．駅から近い、おふろが付いている、２階か３階、５万円ぐらい
イ．×２階か３階

②1

A41 女の人が不動産屋へ行ってアパートを探しています。女の人はどの部屋を見せてもらいますか。

女：あのー、部屋を探しているんですけど。

男：はい、どんな所をお探しですか。

女：えーと、駅から近くて、おふろが付いている所がいいんですけど。

男：じゃ、こちらかこちらはいかがですか。歩いて7、8分ですよ。

女：うーん、できれば2階か3階の方が。

男：でしたら、えーと、こちらですね。

女：ああ、広くてよさそうですね。でも、ちょっと高いかなあ。5万円ぐらいで同じ条件のものは……。

男：5万円ですか……。そうすると、これですね。駅から15分ぐらいのところになりますが。

女：遠いのはちょっとねえ。じゃ、2階じゃなくてもいいかな。

(3) **答え** ①ア．A室とB室 12、 C室とD室 15 イ．30 ②3

A42 男の人と女の人が電話で話しています。女の人はどの部屋を申し込みますか。

男：はい、コミュニティーセンターです。

女：あのー、研修会をするんで集会室の利用の申し込みをしたいんですけど……。今、手元に案内書があるんですが、この4つの部屋はみんな同じ広さですか。

男：ええ、A室とB室はいすと机が置いてある部屋で、CとDは和室ですが。

女：何人ぐらい入る部屋なんですか。

男：AとBは12人分のいすが用意してあります。和室の方は、ま、畳の部屋ですからね。15人ぐらいは大丈夫だろうと思いますが。

女：あ、そうなんですか。どの部屋もわりと少人数なんですね。困ったな。

男：洋室も和室も、部屋と部屋の仕切りを外して、2つの部屋をつなげることもできますよ。

女：あ、そうですか。それはありがたいです。まだはっきりわからないんですが、30人近く来ると思うので……。

確認問題

(1) **答え** 1

A44 ごみ置き場で男の人と女の人が話しています。男の人は何をアパートに持ち帰らなければなりませんか。

男：おはようございます。昨日そこのアパートに引っ越してきたヤンと申します。よろしくお願いします。

女：こちらこそ。あ、ヤンさん、その段ボール、昨日の引っ越しに使ったのね。それは今日じゃなくて、あさっての水曜日。そのペットボトルはあしたよ。

男：あ、そうでしたか。このカップラーメンの容器は大丈夫ですか。

女：容器のプラスチックも今は資源ごみなの。今日のごみと一緒に出してはだめよ。一度持ち帰って中を洗って、決められた曜日に出してね。あ、どうせならその段ボールうちでいただくわ。息子の本を整理するのにちょうどいいから。
男：はい、どうぞ。あのー、このビデオテープも出したいんですが……。
女：あ、その燃やせるごみと一緒に袋に入れて大丈夫よ。
男の人は何をアパートに持ち帰らなければなりませんか。

(2) **答え** 2

A45 夕方、外で女の人と男の人が話しています。２人は晩ご飯をどうしますか。
女：あー、おなかすいた。今日はどこかで食べて帰ろうか。疲れたし……。
男：うーん、そうだなあ……。
女：週末ぐらい外食でもいいんじゃない？　カレーなんかどうかしら。何か辛いのが食べたいな。
男：カレーなら缶詰のカレーがあっただろう？　あれとサラダがあれば、店で食べたのと同じだよ。
女：たしかにあの缶詰は、味は抜群だよね。でも、今から帰って準備したくないなあ。じゃ、カレーやめて、ピザでもとる？　あ、そうだ。新しいピザのお店が近所にできてたよね。あそこ、行ってみる？
男：辛い物が食べたいんだろ？　サラダは野菜を切るだけだし、僕がやろうか。７時半からいい番組があるんだ。
女：ほんと？　お願いしていい？
２人は晩ご飯をどうしますか。

(3) **答え** 1

A46 男の学生が大学の案内を見ながら先生と話しています。男の学生はこの後まず、どうしますか。
男：僕、芸術関係の学部を受けようと思ってるんですけど、東西大学の美術科と、さくら大学のアニメーション科と、情報デザイン科の、どこを受けるかまだ迷ってて……。
女：あら、３つとも全然違うわね。
男：はあ。先輩に会って話を聞いたら、この３つが面白そうだなと思ったんです。でも、やりたいことがいろいろあって、まだ１つに決められないんです。
女：そう。先輩の話も役に立つけど、自分の目で見てみると、違う感想を持つかもしれないわよ。オープンキャンパスには行ってみた？
男：いえ。

女：じゃ、オープンキャンパスに行って、実際にどんなことをやってるか、見てみればいいんじゃない？　ちゃんと資料を読んでから行くのよ。そうしないと、比べようがないからね。調べているうちに、やりたいことがはっきりしてくるかもしれないし。

男：はい、わかりました。あのー、資料って、インターネットで申し込めますか。

女：ええ、大丈夫よ。

男：はい、じゃ、調べてみます。ありがとうございました。

男の学生はこの後まず、どうしますか。

Ⅳ　「ポイント理解」のスキルを学ぶ

練習１－１

答え　(1) 2　(2) 2　(3) 1　(4) 1　(5) 2　(6) 1

A48
(1)　男：一緒にやろうよ。
　　女：やったことないし……。

(2)　男：タクシーに乗りましょうか。
　　女：すぐそこですから。

(3)　男：これ、おいしいね。
　　女：作り方、簡単だけどね。

(4)　男：映画館、込んでますね。
　　女：平日なのにね。

(5)　男：ちょっと教えてほしいんですけど。
　　女：あんまり自信ないんで。

(6)　男：この映画、いいですよね。
　　女：笑いもあってね。

練習１－２

(1) **答え**　1 ×　　2 ○　　3 ×

A50
男の人と女の人が新聞を見ながら話しています。男の人はどうして喜んでいますか。

女：あれ、山田さん、なんだかうれしそうですね。何かあったんですか。

男：まあ、ちょっとね。これ、見て。

女：今日の新聞ですか。あ、好きだって言ってたサッカーチーム、勝ったんですか。

男：うん、まあ、今回の勝ちは予想してたよ。そこじゃなくて、ほら、ここ、見てよ。

女：へえ、いい写真ですね。あれ、この優秀作品って、山田さんのじゃないですか。

男：なかなかいいだろ？　実は前から趣味で撮ってたんだけど、賞がもらえるなんてね。

女：うわあ、すごいですね。おめでとうございます！　ぱっと見たとき、この隣の記事のノーベル賞の鈴木先生とお知り合いなのかと思っちゃいましたよ。

男：まさか。そんなすごい知り合い、いないよ。

(2) **答え** 1 ×　　2 ×　　3 ○

(A51) 男の人と女の人が話しています。女の人はどうしてこのなべを買いたくないのですか。

男：このなべ、変わった形してるね。三角のぼうしみたいなふたが付いていて、面白いね。

女：どうやって料理するんだろう。使い方、難しいのかな。

男：料理の本が付いてるよ。手軽にできるって。

女：あ、ほんとだね。でも、こんな感じの料理だったら、今うちにある圧力なべで代用できそう。値段も安くないね。

男：今なら３割引だって。

女：毎日使うなら高くないけど、その時の思いつきで買っても、結局使わないで眠らせちゃうこと多いよ、うち。

男：ほんと、そうだなあ。うちには調理器具多いね。

女：そうでしょ。これ以上あってもね。どこに置くの？　この変わった形のおなべ……。

(3) **答え** 1 ×　　2 ×　　3 ○

(A52) ペットショップで女の人と男の人が話しています。男の人はどうして犬を飼えないと考えていますか。

女：ねえ、見て。この犬かわいいね。飼ってみない？　あ、でも、13万円だって。高いね。

男：お金より、世話が大変だよ。ご飯やったり、散歩させたり……。まあ、そこが犬を飼う楽しみなんだけどね。散歩は僕にもいい運動になるし。

女：そうでしょ？　かわいいねえ。

男：今は小さくてかわいいけど、この種類は１年もしないうちに、体重30キロぐらいになるからなあ。

女：ふーん、じゃ、庭がないと無理かなあ。

男：まあ、うちの中でも飼えないことはないけど……。あ、でも、大事なこと忘れてたよ。うちは泊まりで出かけること多いからさ。

練習２－１

(1) **答え** 2

(A54) 病院で女の人が男の人に話しています。女の人は男の人がいつ診察を受けられると言っていますか。

女：まだ大勢お待ちになっているので、すぐには診察できないのですが。

男：いや、待ちますから。

女：お待ちいただいても、午前中にお呼びできるかどうか……。

(2) **答え** 2

(A55) 女の人は携帯電話についてどう考えていますか。

女：わたしは毎日外出する前には携帯電話を持ったかどうか必ず確認します。年齢・性別を問わず多くの人が使っている携帯電話ですが、わたしにとって携帯電話は、持ち運びできる便利な通信手段というだけでなく、友達や外の世界とつながるための大切な道具です。携帯電話のない生活なんて考えられません。わたしと同じような人、結構多いんじゃないでしょうか。

(3) **答え** 1

(A56) 男の人は物が売れるための条件は何だと言っていますか。

男：物は買う人がいて初めて売れるんですね。だから、発想が面白くても、それを求めている人がいなければ商品化できません。逆に、それを欲しいと思っている人が大勢いるようなら、どんどん商品化するべきです。

練習2-2

(1) **答え** 1 × 2 × 3 ○ 4 ×

(A58) 店員と女の人が傘を見ながら話しています。女の人はどんな傘が欲しいと言っていますか。

男：いらっしゃいませ。どんな傘をお探しですか。

女：あ、折りたたみです。

男：じゃ、こちらはいかがでしょうか。軽いですよ。しかも、これ、ワンタッチで開いたり閉じたりできるんです。このボタン、押してみてください。

女：わあ、ほんとだ。便利ですね。でも、かなり細いですね。

男：ええ、軽くするために、骨を細くしてあるんです。

女：あのー、うちの会社の近く、ビルの間の風がとても強いんです。こないだもそれで傘の骨が折れてしまったんで、風が強くても折れにくいのがいいんですけど。

男：ああ、じゃ、こちらはどうでしょうか。普通のものより骨の数が多いんです。

女：あ、ほんとですね。これなら大丈夫そうですね。

(2) **答え** 1 × 2 ○ 3 × 4 ×

親子イベントで男の人が話しています。この会の目的は何ですか。

男：ようこそ親子チャレンジへ。これから半年間、毎月この親子交流会でいろんなことに挑戦してもらいます。この親子チャレンジでは、いつもは学校の成績で評価されがちな子供たちに、自分を信じる力を持たせることを目指しています。頑張ることで目標を達成し、その満足感を通じて、やればできるんだと感じてほしいと思っています。毎回、親子で話しながら料理をしたり、遊び道具を作ったり、ゲームをしたりします。できあがったものは記念に持って帰ってください。

(3) **答え** 1 × 2 × 3 ○ 4 ×

学生が先生に相談しています。学生はどうして勉強を続けたいと言っていますか。

女：先生、卒業後の進路のことで相談があるんですが……。実は、大学に残ってもう少し勉強を続けてもいいかなと思い始めて。

男：どうしたんだ。ヤスダ薬品じゃ不満なのか。

女：いえ、あの会社は歴史も長いし、いいと思うんですが。

男：あそこなら、君が今まで勉強してきた知識が生かせるんじゃないかな。

女：はあ。でも、急にこれぐらいの知識でやっていけるかなって心配になってきたんです。

男：大丈夫だと思うよ。それに大学院での勉強も簡単じゃないからね。

女：はい、それはわかってるんですが、もっと専門知識を身につけてからの方が、仕事も面白くなるんじゃないかと思いまして……。

練習3

(1) **答え** 1 × 2 × 3 ○ 4 ×

教室で先生があしたの遠足について話しています。遠足に行くかどうかはっきりしないときはどうしますか。

女：えーと、あしたの遠足ですが、ちょっとお天気が心配ですね。雨がやんだら、予定通り出発しますので、8時までに校庭に集合してください。今のようにたくさん雨が降っている場合は中止ですので、いつもの時間に登校してください。そのときは授業がありますから、教科書を忘れないように。それから、朝、天気を見ても、遠足があるかどうか判断が難しく、はっきりしない場合は、朝7時にメールで連絡しますので、家で待っていてください。学校には直接電話をかけたりしないでください。いいですか。

(2) **答え** 1 ○　2 ×　3 ×　4 ×

女の人が男の人に船の窓について聞いています。男の人は船の窓の形が円い一番の理由は何だと言っていますか。

女：船の中って面白いですね。なんで窓が円いんですか。

男：これはですね、いろんな長所がありますが、なんといっても重要なのは割れにくいことです。船はいつも揺れていて、縦、横、斜め、いろいろな方向から力がかかるんですが、四角い窓は斜めからの力に弱いので、円い形にしています。また、こうすると、いろいろな方向が見やすいんです。

女：へえ、そうなんですね。見た目もかわいいですよね。

男：はい、円い窓が好きだとおっしゃる方も多いです。それから、船の窓は特別な道具で掃除をするんですが、円い方が手入れが楽ですね。

(3) **答え** 1 ×　2 ×　3 ○　4 ×

女の人が先生に速く走る方法について聞いています。速く走るためには何が最も大切だと言っていますか。

女：先生、速く走るには腕を速く振るといいって聞いたんですが、本当ですか。

男：ええ、腕を意識して速く振れば、スピードが出ます。

女：腕を意識するんですね。

男：ええ。でも、それよりもっと大切なのが、足です。速く走りたいと思うと、何度も小さく足を動かしてしまう人が多いようですが、できるだけ大きく、足を広げるように意識してください。

女：なるほど。スタートが苦手な場合にいいやり方はありますか。

男：走り始めるときは、体を前に倒せば、足が自然に前に出ます。それから、ゴール前でスピードが落ちやすい人は、ゴールよりも遠くを見て走るといいですね。

確認問題

(1) **答え** 3

女の人と男の人が新入社員研修について話しています。今年変更になった点は何ですか。

女：こないだ会議で決まった、今年の新入社員研修の案、見る？

男：へえ、場所は……ああ、富士合宿所、懐かしいねえ。僕たちも行ったね。

女：それから、この研修後のバーベキュー・パーティーも懐かしいでしょ？

男：ああ、ゲームの企画を任されて、張り切ったなあ。でも、あれのおかげで同期の人たちとも仲良くなれたし、貴重な体験だったよな。あれ？　1週間もやるの？

女：そう。期間が2日延びたの。

男：ふーん、でも、内容は同じなんだね。

女：うん。敬語とか連絡のこととか、丁寧に指導しないと、結局仕事を始めてから時間がかかるからって。

今年変更になった点は何ですか。

(2) **答え** 3

会社で男の人と女の人が話しています。男の人はどうして怒っていますか。

男：また遅刻だよ、田中君。先週もだったのに。

女：新しく入った人、まだ来てないの？　朝、起きられないから？

男：いや、どっちも電車の事故なんだけど。

女：事故なら、しょうがないじゃない。

男：まあね。それは別にいいんだよ。でも、大事な会議に遅れるとか、そういうことはちゃんと電話で連絡してほしいよ。

女：え？　どういうこと？

男：いつもメールで済ませるんだ。こっちがいつ読むかもわからないし、それじゃ困るよ、まったく。先週なんか、メール見たの、会議が終わってからだよ。今日ももしかしたらって思って、僕がメールを見たからよかったけど。

男の人はどうして怒っていますか。

(3) **答え** 2

女の人が片づけについて話しています。女の人はどうして物を処分できないと言っていますか。

女：「もう要らない物、使わない物は早く処分して身の回りをすっきりしたらどう？」なんてよく人に言われます。家の中にたくさん物があってごちゃごちゃしているからでしょう。でも、わたしは物が捨てられないんです。それぞれみんなそのときは気に入って買った物だし、1つ1つに思い出がありますからね。いつかは使うかもしれないと思っても、結局使わないのはわかってるんですけど。

女の人はどうして物を処分できないと言っていますか。

V 「概要理解」のスキルを学ぶ

練習1－A

答え 1．(1)ペット (2)雨 2．(1)写真 (2)メール

1．(1) えさ、家の中、犬、猫、かわいがる

(2) 濡れる、長靴、天気、洗濯物が乾かない、傘

(A72) 2．(1)　旅行のときに撮った分、きれいに写ってるのを後で送ってあげるね。

(2)　友達にお礼を書いて送信したら、1分ぐらいでその返事が来たの。

練習1－B

(1) **答え** 例をまとめる言葉

(A74) 女：パン、うどん、ケーキ……。どれを作るにしても小麦粉を使います。でも、パンを作る小麦粉でケーキを作っても、あのようにふわふわにはなりません。パンを作るときは強力粉を使い、ケーキを作るときは薄力粉というのを使います。小麦粉は含まれるタンパク質の多さによって、強力粉、中力粉、薄力粉のように分かれているので、目的に応じて使い分けます。

(2) **答え** 例

(A75) 男：疲れたときはビタミンC！　ビタミンCはかんきつ類に多く含まれていますね。オレンジとかみかんとかレモンとか。それから、「だいだい」ってご存じですか。この「だいだい」もみかんなどと同じ仲間です。「だいだい色」「オレンジ色」という言葉もあるように、これらのかんきつ類は日本でも親しまれていて、ジャムにしたり、皮をお茶にしたりしています。そのさわやかな香りと甘酸っぱい味が特徴的ですね。

練習1－C

(1) **答え** 例をまとめる言葉：日本の祝日

例：成人の日、こどもの日、海の日、天皇誕生日

(A78) 女：日本人は働き過ぎであまり休まないとよく言われますが、実は祝日の数はほかの国より少ないわけではありません。アメリカやフランスでは1年に10日ぐらいですが、日本には成人の日、こどもの日、海の日、天皇誕生日など、15日も祝日があります。それでも休みが少ないと思うのは、仕事が忙しくて休暇が取れない人が多いからでしょう。

(2) **答え** 例をまとめる言葉：酒の原料

例：ぶどう、麦、米、とうもろこし、じゃがいも

(A79) 男：じゃ、お酒のクイズ出すね。ぶどうから作られるお酒は？

女：簡単。ワインでしょ？　ぶどう酒とも言うもんね。

男：正解。じゃ、麦の酒と書くのはなあに？

女：麦……えーと、ビール！

男：そう。じゃ、米から作るのは？

女：日本酒じゃない？

男：うん。じゃ、とうもろこしは？

女：えー！　わかんない。

男：じゃ、じゃがいもを原料として作るものは？　ほかにもいろいろあるけど。

(3) **答え** 例をまとめる言葉：省略語（4文字に短くした言葉）

例：てっぱく、エアコン、デジカメ

A80
女：あの、「てっぱく」って何ですか。電車で広告を見たんですけど。

男：ああ、鉄道博物館ですね。鉄道の「鉄」と博物館の「博」で「鉄博」っていうんです。

女：へえ。「てっぱく」っていう新しい言葉が作れるんですね。

男：ええ。ほら、日本語って、長い言葉を4文字の言葉に短くしちゃうこと、よくあるでしょう？　省略語って言われるものですね。

女：ああ、「エアコン」とか「デジカメ」みたいなのもそうですか。

ステップアップ問題1

答え 4

A81
授業で先生が話しています。

男：だれかにコーヒーを勧めながら「冷めないうちに飲んでください」と言いたいとき、「冷めないうちにいただいてください」と言ってよいでしょうか。実は間違った敬語なんですが、どうしてかわかりますか。「いただく」はもともと自分の動作に使う言葉なので、それを相手に対して使うのはおかしいんです。相手に言うなら「召し上がってください」と言うべきです。「先生はいかがいたしますか」や「伺ってください」も同じですが、敬語を使うときは、それがだれの動作について言う言葉かを考えなければなりません。これが反対になってしまうと、とてもおかしく聞こえます。

先生は何について話していますか。

1　「飲んでください」の正しい敬語

2　「いただいてください」のおかしさ

3　敬語を使う相手

4　敬語を話すとき気をつけること

練習2

(1) **答え** ①b　②2

テレビで女の人が話しています。

女：秋においしい魚といえば、「ぶり」が「さんま」や「さけ」と並んで有名です。ほかにも「いなだ」や「はまち」が秋においしい魚としてよく挙げられますが、実はこの「いなだ」も「はまち」も「ぶり」と同じ魚です。「ぶり」は、成長段階によって呼び方が変わるのです。関東では若いときが「いなだ」、そして「わらさ」、それから「ぶり」になり、関西では「はまち」「めじろ」、そして「ぶり」の順に大きくなります。最近では関西の呼び方である「はまち」が広く知られるようになりましたが、「ぶり」とは別の魚だと思っている人もいるようです。

女の人は何について話していますか。

1　ぶりという魚の種類
2　ぶりの呼び方の変化
3　ぶりの成長の地域性

(2) **答え** ①c　②3

テレビで男の人が話しています。

男：出張や旅行などで家を留守にするとき、かわいいペットの世話をどうしますか。そんなとき気軽に利用できるのがペットホテルです。ペットホテルは飼い主がペットを店まで連れていって、そこで面倒を見てもらうので、子供を預ける保育所のようなものです。散歩やえさの心配もなく安心して預けられます。しかし、ペットによっては環境が変わってストレスを感じ、元気がなくなってしまうこともあります。そのようなペットには、ペットシッターが便利です。ペットシッターは、ベビーシッターが赤ちゃんのうちに来て面倒を見てくれるように、自宅まで来て、散歩に連れていってくれたり、えさをやってくれたりするので、ペットにとってはストレスが少なくて済みます。

男の人は何について話していますか。

1　ペットと赤ちゃんを世話する所の共通点
2　子供とペットの世話をする所の種類
3　ペットホテルとペットシッターの違い

(3) **答え** ① c　② 3

テレビで女の人が話しています。

女：携帯電話が登場する前は、電話といえば主に家や会社などの決まった場所からかける固定電話のことでした。携帯電話も固定電話も、後払い、つまり利用した人が後から使った分だけお金を払いますよね。今ではこの方法が当たり前のように思われています。しかし、電話をかける前にお金を払うのが当たり前の時代もありました。電話が使われ始めたころは、電話機はとても高くて、普通の人には買うことができないものでした。そこで、駅やホテル、公共施設など多くの人が出入りする場所に公衆電話を置き、お金を払って利用できるようにしたのです。今でも公衆電話のほとんどは先払いで、10円玉を入れてかけるタイプのものや、テレフォンカードが使えるものなどがあります。

女の人は何について話していますか。

1　電話の種類

2　電話の歴史

3　電話の料金の払い方

(4) **答え** ①紅茶、ウーロン茶、緑茶、お茶の木の葉　②（下の図）　③ 1

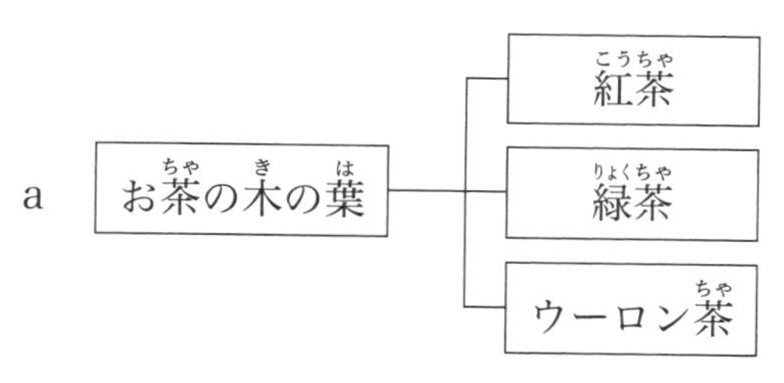

男の人がお茶について話しています。

男：紅茶、ウーロン茶、緑茶、この３種類のお茶は色も味も香りもそれぞれ違います。なぜこんな違いがあるかというと、それは作り方が違うからなんです。紅茶と緑茶とでは作り方が全く違います。ウーロン茶はどちらかというと紅茶に近いですが、やはり、紅茶とは違う作り方をします。色も味も香りも違うから、紅茶は紅茶の木、緑茶は緑茶の木、というように、木の種類が違うと思う人もいるかもしれませんが、実はすべて同じ種類のお茶の木の葉から作られるのです。作り方の違いによって同じ葉っぱからいろんなお茶が楽しめるなんて、不思議ですね。

男の人はお茶について、どう言っていますか。

1　紅茶、緑茶、ウーロン茶は同じ木の葉から作られる

2　紅茶とウーロン茶は同じ木の葉を使うが、緑茶は違う

3　木の種類によって、お茶の種類が違う

ステップアップ問題2

答え 3

(B09) テレビで女の人が話しています。

女：動物は自分で動いて生活の場所を変えることができますが、植物はそれができません。でも、自分で動けない植物も、親から離れて生活範囲を広げるために、さまざまな移動方法を身につけています。種が割れて遠くへ飛ぶなど自分の力だけで動くものもあれば、たんぽぽのように風の力を利用して、遠くに飛ばされて、親の植物から数百メートルも離れたところで成長するものもあります。また、そばを通った動物にくっついて遠くに運んでもらうとか、甘い実をつけて食べられ、ふんとしてまき散らしてもらうなど、動物を利用して移動するものもあります。

女の人は何について話していますか。

1　植物が動物と違う点
2　植物が育つ範囲
3　植物が移動する方法
4　植物が動物を利用する方法

練習3

(1) **答え** ①（下の図）　② 1

(例) 100円ショップの歴史 ← 始まりは江戸時代、食べ物が売られていた
昭和の初め、日用品を扱う店・移動式が中心
90年代に景気が悪くなったときから今の店

(B12) テレビで女の人が話しています。

女：100円ショップに行ったことがない人はいないんじゃないでしょうか。100円で日常に必要な物がほとんど買えるので、多くの人に利用されています。実は100円ショップの始まりは江戸時代からで、最初は食べ物などが決まった値段で売られていました。そして、昭和の初めの不景気をきっかけに、今のように日用品を扱う店が出てきましたが、デパートやスーパーなどでときどき販売する移動式のものが中心でした。それが、90年代に再び景気が悪くなったときから、今のような店が次々と作られるようになったのです。外国にも100円ショップのような店はありますが、品物の種類や値段は、国によってさまざまなようです。

(B13) 女の人は何について話していますか。

1　100円ショップの歴史

2　100円ショップに人気がある理由

3　外国の100円ショップ

(2) **答え** ①（下の図）②3

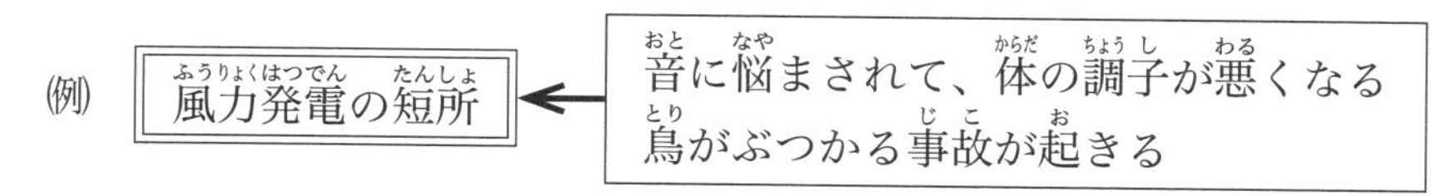

(B14) エネルギー問題の勉強会で男の人が話しています。

男：最近、風力発電が注目されています。風力発電というのは、風を利用して風車を回して電気を作る発電システムのことです。自然の力を利用できるので、エネルギーを使わない発電として期待されていますが、問題も少なくありません。風車の近くに住む人の中には、その音に悩まされて、体の調子が悪くなる人が出てきました。また、鳥が風車にぶつかる事故も起きています。今後はこれらを１つずつ解決していく必要があるでしょう。今日は、これらについて具体的に話し合っていきましょう。

(B15) 今日の勉強会のテーマは何ですか。

1　風力発電の仕組み

2　風力発電の長所

3　風力発電の短所

(3) **答え** ①（下の図）②2

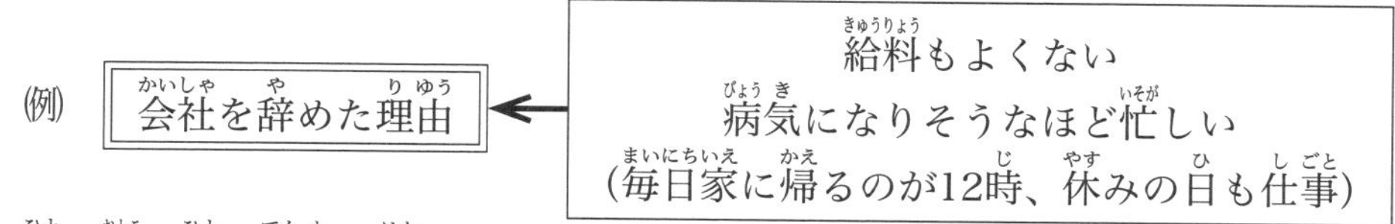

(B16) 女の人と男の人が電話で話しています。

女：もしもし、真理子だけど、元気？　聞いたよ、会社のこと。辞めたんだって。

男：ああ、うん。

女：どうしたの？　新しい仕事でも見つかったの？

男：そういうわけじゃないんだけど。

女：え？　じゃ、どうして？

男：うーん、そんなに給料もよくないし、何よりね、ちょっと病気になりそうなほど忙しくって……。毎日家に帰るのが12時で、そのうえ、休みの日も仕事だよ。

女：えー、そんなに大変だったの？

男：うん。だから、ちょっとゆっくりしようと思ってね。

女：そっか。早くいい仕事が見つかるといいね。

2人は何について話していますか。

1 残業の大変さ

2 会社を辞めた理由

3 会社を探している理由

ステップアップ問題3

答え 3

デパートで店員が話しています。

女：えー、これ、普通の深なべと同じように見えますね。実は無水鍋と言って使い方が違うんです。無水、つまり水がないということからわかるように、野菜をゆでるときに、水がほとんど要りません。このように洗ったときの水気だけでゆでることができ、お湯を沸かす時間が必要ないので、深なべの３分の１以下の時間でゆでられます。ガス代や電気代、水道代も節約できます。そのうえ、栄養も水に溶けないで野菜に残ったままなんですね。健康にも地球にも、そしてお財布にも優しい無水鍋です。

店員は何について説明していますか。

1 深なべの長所

2 深なべの短所

3 無水鍋の長所

4 無水鍋の短所

練習4

(1) **答え** b

男：「レジ袋要りませんカード」というのをご存じですか。スーパーのレジでこのカードを買い物かごに入れるんです。そうするとレジ袋を断ることができる、というものです。「袋は要りません」と声に出して言うのが面倒だと思う人がいることから作られたんですね。しかし、このカードができて、レジ袋を断る人は増えているのでしょうか。それより、もしレジ袋に５円でも10円でもお金がかかるとなれば、少し面倒でも自分の袋を持っていくんじゃないかと思います。

(2) **答え** b

B21 女：手作りの物には愛情がこもっているとよく言われます。手作りの服、手作りのおやつ、手編みのセーターなど、手作りを勧める本もたくさん出版されています。でも、手作りイコール愛情って言っていいんでしょうか。物を作るのが好きな人が、手作りを楽しむのはいいと思いますが、子供と一緒にいる時間を減らしてまで、そうすべきだとは思いません。わたしは手作りはしていませんが、その代わり、子供たちとたくさん遊ぶようにしています。それも愛情だと思っています。

(3) **答え** a

B22 男：褒めて育てたほうがいいと最近よく言われます。それで、わたしも自分の部下や後輩たちを褒めていました。わたしも褒められたほうが嬉しいし、やる気になりますからね。でも、失敗したときでも「よく頑張ったね」なんて言っていては、どうして失敗したのか、次にどうしたらいいのかわからないままです。それでは彼らも成長できませんし、会社にとってもいいことではありません。もちろん、本当によく頑張ったと思ったら褒めてもいいんですが、褒めなければと思って褒めるのは、必要ないことではないでしょうか。

ステップアップ問題4

答え 4

B23 男の人が優先席について話しています。

男：電車やバスには、お年寄りや体の不自由な人のための「優先席」と呼ばれる席があります。席を必要としている人が遠慮なく優先的に座れるようにこういう席を作ったのでしょう。けれども、優先席があるのだからほかの席は譲らなくてもいいと思っている人がいるような気がします。それでは必要な人が本当に座れることにはなりません。ですから、優先席などと決めずに、いつでも必要な人に席を譲るようにしたほうがいいのではないでしょうか。どんな席でも譲り合う社会であれば、それは必要ないのです。

男の人はどのように考えていますか。

1 必要な人が座りやすいので、優先席を作ったほうがいい
2 優先席があったほうが、ほかの人に譲りやすい
3 優先席に座っていなければ、席は譲らなくてもいい
4 優先席をなくして、席を譲り合うようにしたほうがいい

練習5

(1) **答え** ①英語の教科書　②間違えたと伝える

B25 女の学生が友達に電話をかけて、話しています。

女：もしもし、山本君？

男：あ、川村さん。何？

女：あのさ、英語の教科書なんだけど、そこに持ってる？

男：えーと、今日の２時間目の授業だったから、かばんに入ってるはず。あ、あったよ。

女：山本君のって、名前書いてある？

男：名前？　書いてないかも。何？

女：うちに帰って本開いてみたら、書いてあるメモがわたしの字じゃないなって思って。で、山本君、授業のとき隣に座ってたじゃない？　で、もしかしたらって。

男：え？　あ、ほんとだ、僕のじゃないね。悪い、悪い。全然気がつかなかった。あした持ってくよ。

女：うん、ごめんね。よろしく。

(2) **答え** ①借りたＤＶＤ　②ケースを割ってしまったという謝罪

B26 女の人が友達の家へ行って話しています。

女１：あ、みかちゃん、急に来ちゃったんだけど、今、大丈夫？

女２：うん、どうしたの？

女１：あのー、これ、先週借りたＤＶＤなんだけど……。

女２：ああ、返すの、いつでもよかったのに。面白かった？

女１：うん、面白かった。でね、実は、このケースなんだけど。

女２：何？

女１：ほら、ここ……。床に置いといたわたしが悪いんだけど、妹が踏んじゃって。

女２：あー、ちょっと割れてるね。

女１：ごめん。新しいケース、買ってこようと思ったんだけど、ちょうどいいのが見つからなくて。お金で返してもいい？

女２：えー、こんなの気にしないからいいよ。ＤＶＤは見られるんでしょ？

女１：中は大丈夫。ほんとにごめんね。で、これさ、好きだって言ってた店の紅茶。アップルティーなんだけど。

女２：え？　いいの？　ありがとう。ねえ、今、ちょうどケーキ焼いたとこなんだ。味見してかない？

女１：わあ、してくしてく。じゃ、お邪魔します。

確認問題

(1) **答え** 1

B28 テレビで男の人が話しています。

男：赤、黄色、青を色の３原色と呼びますが、この３原色を組み合わせて混ぜるといろいろな色ができます。例えば赤と黄色を混ぜるとオレンジ色ができます。また、白を加えると別の色が生まれます。赤が桃色になったり、青が水色になったりするのです。では、これらの色の名前はどうやってつけられたのでしょうか。色の３原色は何かをイメージしたものではありませんが、３原色から作られた色は、実は自然の中にあるものを色の名前にしているものが多いんです。桃色と言えば、説明しなくてもどんな色かすぐわかりますね。

男の人は何について話していますか。

1 色の呼び方
2 色の混ぜ方
3 桃色という名前の由来
4 ３原色の使い方

(2) **答え** 3

B29 テレビで女の人と男の人が話しています。

女：竹中さんは男性のための面白いクラブを作られたそうですね。

男：ええ。子どものころから、ケーキなんかが大好きでして。

女：「男性のための」というのは？

男：はい。女性がケーキやアイスクリームといった甘いものを楽しむのは一般的ですが、ふつう、そういう店に男性が１人で入るのは、恥ずかしいと思う人が多いでしょう？

女：そうですね。

男：実はわたしの父も昔から甘いものが好きなんですが、父はそれをかっこわるいと思っていたようで、外では食べようとしませんでした。特に父なんかの世代では、甘いものは男らしくない、男なら酒を飲めという考え方が強かったんですね。

女：はあ。

男：お酒でもケーキでも、好きなものを男だからとか、女だからってあきらめる必要はないんじゃないでしょうか。わたしがこの会を作ったのはそういうわけなんです。

この男の人は、どう考えていますか。

1 男性は甘いものを隠れて食べるべきだ
2 男性が甘いものを食べるのは恥ずかしいことだ
3 男性にも自由に甘いものを楽しんでほしい
4 男性は甘いものを食べるより酒を飲んだほうがいい

(3) **答え** 4

(B30) 女の人が男の人に電話をかけて話しています。

女：もしもし？　鈴木です。中田君？

男：あ、のぞみちゃん？　何？

女：あのー、あしたのことなんだけど。

男：うん。３時だったよね。

女：うん……実は急に先生と会うことになっちゃって。

男：そうなの？

女：うん。論文のことで来週会うことになってたんだけど、先生に急な用事ができちゃったらしくて、あしたしか空いてないって言われちゃって。

男：ふーん。

女：次に会えるとしたら２週間先だから、その間、論文の話ができないのも心配で、研究室に行くことにしちゃったんだ。

男：そっか。

女：急にキャンセルして、本当にごめんね。今度、何かおごるから。

男：わかった。何ごちそうしてもらおうかな。考えとくよ。

女の人はどうして友達に電話をかけましたか。

1　約束を確認するため
2　先生の都合を知らせるため
3　ごちそうすることを約束するため
4　あしたの約束を断るため

Ⅵ 「統合理解」のスキルを学ぶ

練習１

(1) **答え** ①ア．昼ご飯のカップラーメンをやめたらどうか、何を食べるか　イ．（下の表）　②４

女の人１	男の人	女の人２
やめたら？ コンビニ弁当は 栄養バランスがいい・ 安い	毎日違う種類のもの ｛弁当を作るのは大変 　外食は金がかかる 買いに行くのが面倒 できるかも	味が濃い・栄養が偏る おにぎりを作ったら？

(B33) 学校で友達３人が話しています。

女１：あれ、また昼ご飯、カップラーメン？　毎日だねえ。そろそろやめたら？

男　：いや、毎日違う種類のを食べてるんだよ。ほら、今日はキムチラーメン。

女２：違う種類っていっても、カップラーメンはやっぱりカップラーメンよ。味が濃いし、栄養が偏るし。

男　：それはわかってるんだけど、弁当作るの大変だろ？　毎日外食じゃ金がかかるし。

女１：作るのが面倒なら、コンビニで買ったら？　最近のコンビニ弁当、栄養バランスもいいし、それに安いよ。

男　：うーん、買いに行くのが面倒なんだ。昼の時間は結構込んでるし。

女２：じゃ、おにぎりでも作ったら？　ほら、これ、朝、作ったの。簡単よ。前の日のご飯をレンジで温めて握るだけ。中に好きな物入れられるよ。

女１：へえ、手作りっておいしそうだね。

男　：ふーん、そっか。それぐらいならできるかも。やってみようかな。

(B34) 男の人はこれから昼ご飯をどうしようと思っていますか。

1　カップラーメンを買う

2　弁当を作る

3　コンビニ弁当を買う

4　おにぎりを作る

(2)　**答え**　①ア．夏休みの旅行の行き先　イ．（下の表）　②３

男の人１（お父さん）	女の人（お母さん）	男の人２（子供）
涼しい所でのんびり	ニュージーランド・涼しい	海外に行きたい
４日 ←		← １週間？
北海道・涼しくてのんびり ←	沖縄・北海道	
言葉がわからない ←	いい・買い物をする ←	韓国は近い
他人が決めたスケジュールは嫌だ ←	ツアーで行く	
涼しい所 ←	国内	

(B35) 家族３人が夏休みについて話しています。

男１：夏休みの予定、そろそろ考えないとな。どこか涼しいところでのんびりしたいね。

女　：そうね。わたし、ニュージーランドに行きたいわ。その時期、涼しいでしょ？

男２：いいね。海外には１度行ってみたかったんだ。１週間ぐらい休めるの？

男1：いや、せいぜい4日だし、海外はね……。
女　：まあ、そんなに短いの？　じゃ、沖縄とか北海道なら行けるかしら。
男1：北海道か。涼しくてのんびりできそうだねえ。
男2：ねえ、韓国なら近いよ。
女　：韓国もいいわね。お買い物して、それから……。
男1：でも、海外は言葉がわからないからなあ。
女　：ツアーで行けばいいじゃない。
男1：いやー、休みの日まで他人の決めたスケジュールで過ごしたくないよ。
男2：うーん。じゃ、国内か。
男1：涼しい所で、おいしいもの食べよう。
女　：そうね。じゃ、調べてみるわ。

(B36) 家族はどこに行くことにしましたか。

1　ニュージーランド
2　韓国
3　北海道
4　沖縄

練習2

(1) 答え ①　1　Aグループ：新聞紙、バッグ
　　　　　　2　Bグループ：広告の紙、かご
　　　　　　3　Cグループ：古い布、布ぞうり
　　　　　　4　Dグループ：葉書、なべ敷き
　　②質問1　1　　質問2　2

(B39) ボランティア講習会で女の人が説明しています。

女1：さて、皆さんには来週お年寄りの施設に行って、小物の作り方を指導していただきます。今日はその実習なんですが、4つのグループに分かれて作業を行います。まず、Aグループは新聞紙で買い物用のバッグを作ります。丈夫でしっかりしているでしょう？　Bグループはかごなんですが、これ、広告の紙から作るんですよ。このかごにはテレビのリモコンや果物が入れられて便利です。Cグループは、この布ぞうりです。古い布を裂いてひもにして編んでいきます。このぞうり、履いたとき気持ちいいですよ。最後にDグループは、葉書でなべ敷きを作ります。葉書を40枚使って作るんですが、作り方は簡単です。熱いおなべを置いても大丈夫ですよ。皆さんは好きなグループに入って、講師の先生から作り方を教わってください。来週はお年寄りに指導していただきますから、

頑張って作ってくださいね。

男　：僕、これにしよう。うちのおばあちゃんにも作ってあげようかな。スーパーに行っても、レジ袋断ってるみたいだから。

女２：わたしはこれ。部屋で履けるし、お年寄りは古い服、捨てられない人多いでしょ？　きっと喜ばれると思う。

男　：でも、作り方が難しそうだよ。履くには、２つ作らないといけないし。

女２：あ、そうか。結構力が要りそうだしね。じゃ、お菓子やみかんを入れておくのに喜ばれそうだから、これにしようかな。

男　：僕はやっぱりこれ。葉書は集めるのが大変そうだけど、新聞紙ならいくらでもあるからね。

質問１　男の人はどのグループに入りますか。

質問２　女の人はどのグループに入りますか。

(2) **答え** ①　1　A会場：野菜や果物、花の販売

2　B会場：もちつき

3　C会場：遊びの体験、ゲーム大会、親子で参加

4　D会場：人形作りの見学と作り方の指導

②質問１　4　　質問２　3

ふるさと祭りの会場でアナウンスをしています。

男１：本日はふるさと祭りにようこそおいでくださいました。えー、広場の周りの４つの会場で、それぞれ楽しいイベントを行っております。A会場では今朝取れたばかりの野菜や果物、そして花などを販売しております。B会場ではもちつきを行います。できあがったおもちはその場で召し上がっていただけます。C会場はこの地方の伝統的な遊びの体験と、ゲーム大会を行います。親子でご一緒にご参加ください。そして、D会場では人形作りを見ていただけます。また、作り方の指導もいたしますので、皆様どうぞおいでください。

女　：どの会場もみんな面白そうね。でも、この子が楽しめるところというとやっぱり食べるところかしらね。おもちつきなんかどう？

男２：もちつきは学校でもする機会があるんじゃない？　せっかくの機会だから、子供と一緒に参加できるものにしたいな。昔の遊びなんか、懐しいし。

女　：そう。わたしは先に人形を作るところを見てから、花とか野菜を見てきたいんだけど、いい？　今晩のおかずも探せそうだし。

男２：わかった。じゃ、ここでいったん別れて後で広場で会おう。

質問１　女の人は最初にどの会場へ行きますか。

質問２　男の人は最初にどの会場へ行きますか。

確認問題

(1) **答え** 4

B43 友達３人が山へ行く相談をしています。

女　：大空山までは、やっぱり電車とバスを乗り継いで行くしかないのかな。５時の電車で行けば、上まで登って暗くなる前に山を下りてこられるかしら。

男１：じゃ、４時起きか、大変だね。

男２：夜行バスはどう？　夜行バスなら半分ぐらいの値段で行けるし。

男１：夜行バスか。乗り換えもないし楽かもね。

女　：たしかに安いのは魅力だけど、バスの中で眠れるかしら。

男１：大丈夫だよ。最近のバスはシートも広くて、ベッドみたいに倒せるんだって。

男２：前の日にぐっすり寝たかったら、前日どこかに宿を取るか。でも、もう予約はいっぱいだろうから、テントかなあ。

女　：え？　テントに泊まるの？　それだけは勘弁してよ。

男１：そうだよな。じゃ、やっぱり、夜行しかないでしょ。

男２：荷物増えちゃうしな。

女　：わかった。バスにしよう。

女の人が夜行バスで行きたいと思った理由は何ですか。

1　乗り換えがないから

2　４時に起きられないから

3　リラックスできるから

4　テントに泊まりたくないから

(2) **答え** 質問１　2　　質問２　4

B44 デパートで店員が話しています。

女１：母の日のプレゼントですか。それなら、こちらにぴったりのセットが４種類ございます。一番人気が高いのが、この「ありがとうセット」で、母の日の花、赤いカーネーションにクッキーを添えたセットでございます。次に、こちらの「しあわせセット」は、お菓子２種類と紅茶のセットで、お好きなお菓子が選べます。それから、こちらの「ふんわりセット」は、柔らかいタオルとエプロンのセットです。台所仕事が多いお母様に喜ばれます。最後は「うきうきセット」ですが、おしゃれなスカーフと日傘のセットです。

スカーフと日傘の柄が合っていて、外出の多いおしゃれなお母様にぴったりのセットです。

女２：うちのお母さん、甘いもの好きだから、これにしようかな。
男　：え？　お花はいいの？
女２：うん。水やったりするの、めんどくさがるんだ。
男　：ふーん。僕は、料理のときに使ってもらえるものにしようかな。
女２：でも、つよし君のお母さん、おしゃれだから、これもいいんじゃない？
男　：ああ、そういえば、最近は絵を習い始めて外に出ることも増えたしね。じゃ、これにしよう。

質問１　女の人はどのセットを選びますか。
質問２　男の人はどのセットを選びますか。

模擬試験

問題１

1番 **答え** 3

B46 会社で女の人と男の人が話しています。女の人は箱に何を入れますか。
女：あ、就職説明会の準備？　手伝おうか。要るものダンボールに入れればいいのね。
男：あ、助かるな。配付資料はもう入ってるから。
女：わかった。あと、アンケート用紙は？
男：あ、そうだった。それと、そんときに使うペンね。受付で使う名札もよろしく。
女：今年は記念品、配らないの？　去年はシールだったよね。
男：うん。あれはあんまり使ってもらえないから、今年はファイルにするって。それは配付資料と一緒にしてあるから。
女の人は箱に何を入れますか。

2番 **答え** 2

B47 市民サッカークラブの担当者が話し合っています。男の人は今日送るメールに何を書きますか。
女：中川さん、あさっての練習試合のこと、もうメールしてありますか。場所が変わるってこと。間違って総合グラウンドの方に行かれる方がいたら気の毒なので。
男：はい、月曜日にメールしました。あ、でも今度の場所は駐車場がないんですよね。忘れてました。じゃ、今日、それをお知らせするついでに、時間ももう一度確認したほうがいいでしょうか。

女：うーん、開始時間はそのままだから、大丈夫ですよ。でも、試合が終わったら練習場で新しいコーチの紹介とお疲れ様会をするから、終わる時間が５時ごろになるってことも先にお知らせしておいたほうがいいでしょうね。

男：ああ、それはもう月曜日のメールで。

男の人は今日送るメールに何を書きますか。

３番 答え　2

男の人が先輩にフリーマーケットに必要な物について聞いています。男の人はこれから何を準備しますか。

男：フリーマーケットで物を売るの初めてなんですが、ほかに必要な物があったら、教えていただけますか。売る物は一応ここにまとめてあるんですけど……。

女：えーと。まずは、これみんな並べるんだから、下に敷く大きいシートが要るね。毛布ぐらいの大きさの。

男：わかりました。

女：値札はもう付けてあるね。あと、これ、お金を入れる袋だよね。あ、お釣り、用意してある？

男：これぐらいで、足りるでしょうか。

女：もっと細かいお金がないと……。あと、この紙は、何？

男：ああ、これは包む紙です。

女：うーん、どっとお客さんが来ると、包んでる時間、ないかもしれないよ。ぽんと袋に入れてすぐ渡せるようにしたほうがいいんじゃないかな。袋は大小できるだけたくさんあったほうがいいね。

男：じゃ、こんなレジ袋でいいでしょうか。

女：うーん、紙袋の方が喜ばれると思うけど。

男：わかりました。

男の人はこれから何を準備しますか。

４番 答え　1

旅行先のホテルで男の人と女の人が話しています。男の人は今から何をしますか。

女：あー、今日もう帰るんだー。旅行楽しかったね。

男：うん。帰りの電車まではまだ時間あるからさ、それまで何しようか。

女：まず……公園、どうかな。

男：でも天気、あんまりよくないからね。

女：たしかに。あ、でも公園の中に美術館があるよ。ここ、いいんじゃない？

男：それより僕はやっぱりあの海、最後にもう一度見たいなあ。それと、昨日閉まってた店。
女：海は公園の３つ先のバス停でしょ？　わたしだけ公園前で降りるから、ちょっと足を伸ばして見てくれば？　昨日の店は駅前だったから、後で電車に乗る前に一緒に見ようよ。
男：うん、じゃ、チェックアウトして、フロントに荷物預けて、出かけよう。
女：ん？　駅で預けたら？　公園方面へのバス、駅からだし。
男：そうか。じゃ、そうしよう。
男の人は今から何をしますか。

5番 **答え** 3

B50 女の学生が男の先輩に仕事の見つけ方について聞いています。女の学生はこの後まず、何をしますか。
女：わたしも卒業までもう1年ちょっとなんで、就職活動始めてるんですけど、どうやったら先輩みたいにいい仕事が見つかるのか教えていただけませんか。
男：うーん。僕の場合、ちょっとでも興味があったら、その会社に行ってみたりしたよ。そこで働いている人が楽しんで仕事をしているかどうかわかるし、先輩がいれば、実際に話を聞いたりするのがいいよ。僕もそれで先輩に会って、会社を案内してもらったんだ。
女：へえ。先輩がいない場合は？　先輩がいなくても、会社に行ってみてもいいんですか。
男：興味があるなら、問い合わせてみればいいんじゃない？
女：そうですね。そうしてみます。
男：あと、やっぱりどんな仕事があるか調べたり、自分がやりたいことをちゃんと整理したりしたほうがいいよ。
女：はい、それは一応やってるんですけど。
女の学生はこの後まず、何をしますか。

問題2

1番 **答え** 4

B52 男の人と女の人が話しています。女の人はどうして残念がっていますか。
男：あ、それ、川端隆平の新しい小説？
女：そう。でもがっかりなの。
男：え？　つまんないの？
女：それがね、昨日、これを買うと川端隆平がサインしてくれるっていうのを聞いて、その本屋に買いに行ったの。
男：へえ、じゃ、サイン、もらってきたんだ。なんでがっかりなの？　川端さん、あんまりかっこよくなかった？

女：彼じゃなくてファンの人がね。ひどいっていうか何ていうか。サインを待ってる間に、もう読んできた２人連れがね、小説の内容についてあれこれ話してるの。それが聞こえてきちゃって。
男：え？　じゃ、最後の結末までわかっちゃったの？
女：うん。先がどうなるかわからないから、面白いのに。あーあ。
女の人はどうして残念がっていますか。

２番 **答え** 3

(B53) 先生が日本語のクラスの活動について話しています。先生はこの活動の一番の目的は何だと言っていますか。
女：このクラスでは、あるテーマについて賛成か反対かに分かれて日本語でディスカッションをする練習をします。学校の外であまり日本語を使わないという人にも、日本語を話すいい練習になりますよ。ディスカッションを始める前に、意見を言うときのいろいろな表現も勉強しますから、しっかり練習してくださいね。ですが、なんといっても意識してほしいのは、ディスカッションを通じて、感情的にならないで相手の話を聞き、自分の意見を言うことです。そうすることで、意見が対立したときのやりとりの方法とか、本当の意味でのコミュニケーションの仕方などがわかってくると思います。さらに後で反対か賛成かの意見を述べるレポートの書き方なども指導していきますので、頑張ってください。
先生はこの活動の一番の目的は何だと言っていますか。

３番 **答え** 2

(B54) 会社で女の人と男の人が話しています。イベントを行うかどうか、どうやって決めますか。
女：部長、確認なんですが、土曜日のイベント、やるということでいいでしょうか。
男：うーん、台風が近づいているんだよね。ちょうど土曜日ごろ来るらしいよ。えーと、あと３日だな……。今は荒れそうもないけど、予報を見てみないとわからないな。当日、台風が来てたらもちろん中止だけど、やるかどうか、あしたの朝には決めてしまわないとね。
女：あしたですか。一応、雨でもできるように準備してあるので、強い雨じゃなければ大丈夫だと思いますが。それに、予報通り強い台風が来るかどうかもわかりませんし、せめて、中止を決めるの、前の日ではいけませんか。警報が出ていれば中止ということで。
男：うーん、警報って直前にならないと出ないんじゃないの？　やりたい気持ちはわかるけど、直前になってからじゃ連絡なんかも困るだろうしねえ。
女：わかりました。
イベントを行うかどうか、どうやって決めますか。

4番 答え 2

B55 男の人が外から自分の会社に電話をかけて話しています。男の人はどうして会議に遅れますか。

男：もしもし、営業部の鈴木です。お疲れ様です。

女：あ、鈴木さん。上田です。お疲れ様です。

男：あのー、3時からの会議のことなんですが。

女：はい。

男：実は今、お約束があったお客様のところに商品を持って伺っているんですけど、担当の方がご不在なんですよ。

女：あ、そうなんですか。約束をお忘れだったとか？

男：それが電車が止まってるらしくて、外出先からお戻りになっていないんです。ちょっと打ち合わせが必要なんで、商品だけ置いて帰るわけにもいかないんですよ。

女：わかりました。そういえば、佐藤さんからも電車が止まって戻ってこられないって連絡がありました。あと20分ぐらいで動きそうだってことでしたけど。

男：あ、そうですか。じゃ、できるだけ早く社の方に戻りますので、よろしくお願いします。

男の人はどうして会議に遅れますか。

5番 答え 3

B56 テレビで女の人が話しています。女の人は、着ない着物についてどんな提案をしていますか。

女：皆さん、長い間たんすにしまったままの着物をお持ちじゃないでしょうか。もったいないですよね。そこで思いきって別のものに作り直してみるのはいかがでしょうか。意外に簡単ですよ。眠っている着物の使い道といえば、将来お嬢さんに着てもらおうって考えている方もいらっしゃるでしょうね。本当にいいものはそうしたほうがいいかもしれませんが、だれも着ないままで長い年月しまっておくのも難しいものです。欲しい人に譲るという方法もありますが、やはり思い出がある着物だと手放すのは惜しいですよね。縫うのは苦手という方もいらっしゃるでしょうが、着物は元は四角い布ですから、スカートや袋など四角のままを生かしたものにすればいいんです。これならだれにでもできますよ。作り直してくれる専門の店もありますけど、安くはないですしね。

女の人は、着ない着物についてどんな提案をしていますか。

6番 答え 4

B57 家で男の人と女の人が話しています。女の人が今まで健康診断を受けなかった理由は何ですか。

男：あしたは会社の健康診断か……。そういえば、あれ？　家庭の主婦は健康診断ってないよな。

女：あることはあるみたいよ。保健所とかで成人健康診断っていうの、やってるようよ。

男：え？　どうして受けないの？　受けたほうがいいよ。そんなに高いわけじゃないだろ？

女：うーん、お金よりもねえ。わたし、健康そのもので、悪いところないし……。

男：何言ってるんだ。ちゃんと診てもらわなければ健康かどうかわからないじゃないか。申し込み、僕がやっておこうか。

女：それはね、通知が来てたから返事書いて出せばいいだけなんだけど……。

男：じゃ、今年からはちゃんと受けなくちゃ。どんな病気も早く見つかれば治ることが多いんだから。安心していたらだめだよ。

女の人が今まで健康診断を受けなかった理由は何ですか。

問題3

1番 答え 4

テレビで女の人が話しています。

女：最近の若い人は方言を好んで使う傾向があるようです。特に面白いのが、自分がその地方の出身でなくても、その方言が面白ければ取り入れていって、友達同士のコミュニケーションをスムーズにするための仲間言葉として使うという考え方です。ですから、東京出身の若者が、関西の言葉を混ぜながら話すということが起こるのです。例えば「なんでやねん」というのは、「どうしてだよ」という意味の関西の方言ですが、全国の若者に使われています。これは、友達との間の真面目すぎる雰囲気を崩し、親しみやすさを表すためだと考えられます。

女の人は何について話していますか。

1　若い人の友達との接し方
2　関西の方言の「なんでやねん」の意味
3　地方出身者の方言の使い方
4　仲間同士の言葉としての方言

2番 答え 4

学校で先生が女の生徒に話しています。

男：あ、山下さん、ちょっと頼みたいことがあるんだけど。

女：はい、何ですか。

男：山下さん、木村さんと、家、近かったよね。

女：ええ、歩いて1分ぐらいです。

男：そう。今日、ちょっと寄れる？　このプリント、できれば今日中におうちの人に見てもらいたいんだけど、木村さん、昨日からお休みだったから。悪いけど、頼むよ。これ。

女：ああ、このプリントですね。わかりました。木村さん、風邪ですか。

男：うん、木村さんにお大事にって伝えて。それじゃ、よろしくな。

女：はい、わかりました。

先生はどうして生徒に声をかけましたか。

1　生徒の住所を確かめるため

2　生徒の欠席の理由を聞くため

3　お見舞いの言葉を伝えるため

4　プリントを渡してもらうため

3番　**答え**　4

(B61) スケート選手が話しています。

女：わたしは子供のころはスピードスケートをやっていました。でも、スピードスケートはだれが速かったか数字で決めるので、速さだけに頼るというのに限界を感じるようになりました。でも、フィギュアスケートは技術力と美しさで勝負するものですから、その人のスケートがきれいかどうかということは、人によって評価が変わりますし、わたし自身の気持ちが入っているときは、高い点がもらえるんです。ですから自分を表現するという意味で、満足感もあります。それに、着る服や音楽もとてもきれいで、そこからその選手の性格や国の文化がわかるのも、楽しみのひとつですね。

スケート選手は何について話していますか。

1　スピードスケートを始めた理由

2　スピードスケートに必要な要素

3　フィギュアスケートの評価方法

4　フィギュアスケートの魅力

4番　**答え**　2

(B62) テレビで男の人が話しています。

男：最近は、結婚の申し込みや大きな頼み事などの大切な話を、直接言うよりもメールで伝えるほうがいいという若い人もいるようです。なぜ顔の見えないメールのほうがいいのでしょうか。ゆっくり会う時間がない、話すのが苦手で書いたほうがうまく伝えられるという人もいるでしょう。しかし、もっと積極的な理由もあるようです。言葉は言ったらすぐに消えてしまいますが、メールは後から何度も読み返すことができて、しっかりと残ります。それで、メールの文章は責任のある言葉だと感じられるようです。

男の人は何について話していますか。

1　結婚を申し込むときの手段

2　大切な話にメールを使う理由

3　メールの長所と短所

4　メールの文章の書き方

5番 **答え** 1

講演会で先生が話しています。

女：日本では、「ご飯」という言葉が白い米だけでなく、食事そのものを指すことからもわかるように、昔からたくさんの米を食べていました。それが、1950年ごろから、アメリカなど外国からさまざまな食べ物が入ってきて、米の消費量はぐんと減り、肉や乳製品を多くとるようになりました。それに伴って料理法も変化したため、多くの油を使うようになっています。また、生活スタイルの変化により、食事の時間が平日と週末で違う、家族そろって食卓を囲む機会が減るなど、食事の中身だけでなく、食事のとり方も昔とは大きく異なっています。この講演会ではこのようなことをお話ししたいと思います。

この講演会のテーマは何ですか。

1　日本人の食生活の変化

2　1950年以降の食事の内容

3　日本人がとっている栄養

4　外国から入ってきた料理の特徴

問題4

1番 **答え** 3

男：お忙しいところ、すみません。ご相談したいことがあるんですが、今ちょっとよろしいでしょうか。

女：1　ええ、おかまいなく。何でしょう？

　　2　ええ、どういたしまして。何でしょう？

　　3　ええ、かまいませんよ。何でしょう？

2番 **答え** 3

男：最初は引き受けなきゃよかったかなと思ったんだけど。

女：1　やっぱり引き受けないほうがいいでしょ？

　　2　やっぱり引き受けたらよかったでしょ？

　　3　やっぱり引き受けてよかったでしょ？

3番 **答え** 3

(B67) 女：どうもすっかりご無沙汰してしまって……。お変わりありませんか。

男：1　ええ、ご苦労様です。

2　ええ、ごめんください。

3　ええ、相変わらずです。

4番 **答え** 2

(B68) 男：あのー、できたらこの荷物、ここで夕方まで預かっといてほしいんですけど。

女：1　そうですか。じゃ、よろしくお願いします。

2　わかりました。何時に取りに来ますか。

3　じゃ、できたらご連絡します。

5番 **答え** 1

(B69) 女：この間お話しした物、実物をお持ちしたんですが……。

男：1　あ、もう、拝見しましたよ。

2　え？　もう、ご覧くださいましたよ。

3　ええ、もう、お見えになりましたよ。

6番 **答え** 3

(B70) 男：あれ？　それ、持ってっちゃっていいんですか。

女：1　うん、すごくいいんじゃないかな。

2　うん、持ってっちゃったよ。

3　うん、持ってってって言われたんだ。

7番 **答え** 2

(B71) 男：今日はうっかりいつもの電車に乗るところだったよ。

女：1　ああ、あそこから乗ったんだね。

2　間違えてたら、大変だったね。

3　えー！　いつものに乗っちゃったの？

8番 **答え** 3

(B72) 女：この仕事、わたしにやらせていただけないでしょうか。

男：1　あ、そうですか。じゃ、差し上げます。

2　はい、そうですね。じゃ、お疲れ様でした。

3　わかりました。じゃ、お願いします。

9番 **答え** 2

女：英語の勉強、し直そうと思ってるの。書くのはともかくとして会話ぐらいはね。

男：1　そうだね。書く練習は必要だよね。

2　そうだね。話せると楽しいもんね。

3　そうだね。会話なんて勉強しなくてもね。

10番 **答え** 1

男：え？　タレントになりたい？　笑わせないでくれよ。

女：1　いえ、大真面目よ。

2　いえ、笑ってなんかいないわよ。

3　いえ、すごく面白いのよ。

11番 **答え** 1

男：これ、使ってもらえるとありがたいんだけど。

女：1　え？　ほんとにいいんですか。じゃ、遠慮なく。

2　ええ、どうぞ。よかったらこれもいかがですか。

3　どういたしまして。もう使わないものなんで。

12番 **答え** 3

男：山田先生とお昼をご一緒したんだけど、今日に限って財布忘れちゃってさ、ご迷惑かけちゃったよ。

女：1　昼食代を払わされたんですか。

2　一緒に探してくださったんですか。

3　ごちそうしてもらったんですか。

問題5

1番 **答え** 3

クラスで生徒2人と先生が話しています。

男1：先生、ちょっといいですか。

男2：何ですか、上田君。

男1：あのー、こんなふうに机といすを円く並べるの、よくないと思うんですよ。黒板見るとき、首をねじらなきゃいけないんで、首が痛くなってしまうんです。

男２：うーん、この授業は話し合いが多いからね。こうすれば先生も円の中に座って参加できるし……。

女　：みんなの顔が見られていいと思いますけど。こうすると、授業中寝る人もいなくなりますし。

男１：ですけど、おしゃべりが多すぎますよ。勉強のときはちゃんと前を向いてやったほうが……。

女　：おしゃべりしている人も、みんなで注意したらいいと思います。

男２：勉強の仕方にはいろいろなスタイルがあるんだよね。お互いに話し合うことで理解を深めていく勉強スタイルもあると思うよ。みんなが前を向いていたら、意見が言いにくくなるんじゃないかな。

女　：そう思います。わたしもこの方が話しやすいです。

男２：先生の話を聞くだけじゃなくて、自分たちで問題点を探していくことも必要だよ。

先生が机といすを円く並べる一番の理由は何ですか。

1　授業中寝ている人を見つけやすいから

2　しゃべっている人を注意しやすいから

3　生徒同士でいろいろ話し合ってほしいから

4　先生も話し合いに参加したいから

２番　**答え**　質問１　1　　質問２　2

(B79) 男の人と女の人がこれから特急電車に乗ります。

女１：お客様にお知らせいたします。まもなく１番線に11時ちょうど発特急雪国12号が参ります。この電車は10両編成で、グリーン車は４号車から６号車、指定席は７号車から10号車、自由席は前寄りの３両、１号車から３号車までとなっております。おたばこが吸える車両は、１号車、４号車、10号車です。そのほかは全席禁煙となっております。

男　：えーと、雪国12号、自由席はあっちだね。たばこ吸える車両は……と。

女２：え？　喫煙席に乗るの？　嫌よ、わたし。気持ち悪くなっちゃうもん。ね、着くまで我慢できない？

男　：うーん、１時間ぐらいならいいけど、３時間もなあ。喫煙席があるから、喫煙ルームもないみたいだし。今日は別々の車両でいい？　どうせずっと、本読んでるんでしょ？

女２：まあね。じゃ、自由席の喫煙車両はあっちだね。わたし、隣の車両のドアの近くに座ってるから、降りる前には来てよ。

男　：わかった。

質問１　男の人は何号車に乗りますか。

質問２　女の人は何号車に乗りますか。

3番 **答え** 質問1　2　質問2　1

日本語学校で先生が話しています。

男1：あしたは教室での勉強ではなく、実際に町に出て、日本人と話をします。4つのグループに分かれて、それぞれ違う立場の人に会って話をしてきてください。テーマはあいさつについてです。Aグループは、商店街に行ってお店の人と話をしてきてください。友達とお客さんとでは、あいさつが違うかもしれませんね。Bグループは公園に行って、子供を遊ばせているお母さんたちに話を聞いてください。お母さんたちは毎日子供と話す時間が多いですよね。そんな中で自分も子供みたいな話し方になることはないかというのは、面白いテーマですよ。Cグループは市民会館へ行って、お年寄りと話してみてください。昔と今とではあいさつに違いがあるかどうか聞いてみても面白いですね。Dグループは近くに専門学校がありますから、そこの学生さんに聞いてきてください。友達同士のあいさつとか、今の流行のあいさつは何か、皆さんも興味があるでしょう。今日は、好きなグループに入って、あしたどんな質問をするかグループの人と相談してください。

女　：どうしようかなあ。やっぱりいつか自分も同じ立場になるから「ママさん言葉」かな。あ、でも、おじいさんやおばあさんたちとも話してみたいから、迷うなあ。

男2：僕はなんといっても同世代の人がどう話すか興味があるね。

女　：でも、学生言葉なら、これから先、たくさん聞くんじゃないの？

男2：それもそうだね。じゃ、将来日本で働くことを考えて、店のおじさんたちと話をしてみるかな。

女　：わたしはやっぱりこっちかな。女同士なら話もしやすいし、子供のことなんかも聞きたいし。

質問1　女の学生はどのグループに入りますか。

質問2　男の学生はどのグループに入りますか。